초등 수학 전문가가 만든 연산 교재

원리셈

• 덧셈구구 •

1주차	더하기 2, 3, 4	9
2주차	더하기 9, 8	25
3주차	더하기 7, 6	41
4주차	도전! 계산왕	57
5주차	더하기 5	69
6주차	도전! 계산왕	85

교과 과정 완벽 대비
수학 전문가가 만든 연산 교재
다양한 형태의 문제로 재미있게 연습하는 원리셈

지은이의 말

수학은 원리로부터

수학은 구체물의 관계를 숫자와 기호의 약속으로 나타내는 추상적인 학문입니다. 이 점이 아이들이 수학을 어려워하는 가장 큰 이유입니다. 이러한 수학은 제대로 된 이해를 동반할 때 비로소 힘을 발휘할 수 있습니다. 수학은 어느 단계에서나 원리가 가장 중요합니다.

수학 교육의 변화

답을 내는 방법만 알아도 되는 수학 교육의 시대는 지나고 있습니다. 연산도 한 가지 방법만 반복 연습하기 보다 다양한 풀이 방법이 중요합니다. 교과서는 왜 그렇게 해야 하는지 가르쳐 주고 다양한 방법을 생각하도록 하지만, 학생들은 단순하게 반복되는 연습에 원리는 잊어버리고 기계적으로 답을 내다보니 응용된 내용의 이해가 부족합니다.

연산 학습은 꾸준히

유초등 학습 단계에 따라 4권~6권의 구성으로 매일 10분씩 꾸준히 공부할 수 있습니다. 원리와 다양한 방법의 학습은 그림과 함께 재미있게, 연습은 다양하게 진행하되 마무리는 집중하여 진행하도록 했습니다. 부담 없는 하루 학습량으로 꾸준히 공부하다 보면 어느새 연산 실력이 부쩍 늘어난 것을 알 수 있습니다.

개정판 원리셈은

동영상 강의 확대/초등 고학년 원리 학습 과정 강화 등으로 교과 과정을 완벽하게 대비할 수 있도록 원리와 개념, 계산 방법을 학습합니다. 단계별 원리 학습은 물론이고 연습도 강화했습니다.

학부모님들의 연산 학습에 대한 고민이 원리셈으로 해결되었으면 하는 바람입니다.

지은이 천종현

원리셈의 특징

원리셈의 학습 구성

한 권의 책은 매일 10분 / 매주 5일 / 6주 학습

원리셈의 시나브로 강해지는 학습 알고리즘

초등 원리셈은

시작은 원리의 이해로부터, 마무리는 충분한 연습과 성취도 확인까지

체계적인 학습 구성

쉽게 이해하고 스스로 공부!
실수가 많은 부분은 별도로 확인하고 연습!
주제에 따라 실전을 위한 확장적 사고가 필요한 내용까지!
원리로 시작되는 단계별 학습으로 곱셈구구마저 저절로 외워진다고 느끼도록!

원리셈 전체 단계

키즈 원리셈

5·6세	
1권	5까지의 수
2권	10까지의 수
3권	10까지의 수 세어 쓰기
4권	모아 세기
5권	빼어 세기
6권	크기 비교와 여러 가지 세기

6·7세	
1권	10까지의 더하기 빼기 1
2권	10까지의 더하기 빼기 2
3권	10까지의 더하기 빼기 3
4권	20까지의 더하기 빼기 1
5권	20까지의 더하기 빼기 2
6권	20까지의 더하기 빼기 3

7·8세	
1권	7까지의 모으기와 가르기
2권	9까지의 모으기와 가르기
3권	덧셈과 뺄셈
4권	10 가르기와 모으기
5권	10 만들어 더하기
6권	10 만들어 빼기

초등 원리셈

1학년	
1권	받아올림/내림 없는 두 자리 수 덧셈, 뺄셈
2권	덧셈구구
3권	뺄셈구구
4권	□ 구하기
5권	세 수의 덧셈과 뺄셈
6권	(두 자리 수)±(한 자리 수)

2학년	
1권	두 자리 수 덧셈
2권	두 자리 수 뺄셈
3권	세 수의 덧셈과 뺄셈
4권	곱셈
5권	곱셈구구
6권	나눗셈

3학년	
1권	세 자리 수의 덧셈과 뺄셈
2권	(두/세 자리 수)×(한 자리 수)
3권	(두/세 자리 수)×(두 자리 수)
4권	(두/세 자리 수)÷(한 자리 수)
5권	곱셈과 나눗셈의 관계
6권	분수

4학년	
1권	큰 수의 곱셈
2권	큰 수의 나눗셈
3권	분모가 같은 분수의 덧셈과 뺄셈
4권	소수의 덧셈과 뺄셈

5학년	
1권	혼합 계산
2권	약수와 배수
3권	분모가 다른 분수의 덧셈과 뺄셈
4권	분수와 소수의 곱셈

6학년	
1권	분수의 나눗셈
2권	소수의 나눗셈
3권	비와 비율
4권	비례식과 비례배분

초등 원리셈의 단계별 학습 목표

원리와 연습을 모두 잡는 원리셈!!

학년별 학습 목표와 다른 책에서는 만나기 힘든 특별한 내용을 확인해 보세요.

1학년 원리셈

모든 연산 과정 중 실수가 가장 많은 덧셈, 뺄셈의 집중 연습
여러 가지 계산 방법 알기
덧셈, 뺄셈의 관계를 이용한 '□ 구하기'의 이해

2학년 원리셈

두 자리 덧셈, 뺄셈의 여러 가지 계산 방법의 숙지와 이해
곱셈 개념을 폭넓게 이해하고, 곱셈구구를 힘들지 않게 외울 수 있는 구성
나눗셈은 3학년 교과의 내용이지만 곱셈구구를 외우는 것을 도우면서 곱셈구구의 범위에서 개념 위주 학습

3학년 원리셈

기본 연산은 정확한 이해와 충분한 연습
곱셈, 나눗셈의 관계를 이용한 '□ 구하기'의 이해
분수는 학생들이 어려워 하는 부분을 중점적으로 이해하고, 연습하도록 구성

4학년 원리셈

작은 수의 곱셈, 나눗셈 방법을 확장하여 이해하는 큰 수의 곱셈, 나눗셈
교과서에는 나오지 않는 실전적 연산을 포함
많이 틀리는 내용은 별도 집중학습

5학년 원리셈

연산은 개념과 유형에 따라 단계적으로 학습 후 충분한 연습
약수와 배수는 기본기를 단단하게 할 수 있는 체계적인 구성

6학년 원리셈

분수와 소수의 나눗셈은 원리를 단순화하여 이해
비의 개념을 확장하여 문장제 문제 등에서 만나는 비례 관계의 이해와 적용
비와 비례식은 중등 수학을 대비하는 의미도 포함. 강추 교재!!

1학년 구성과 특징

1권은 받아올림, 받아내림 없는 두 자리 덧셈, 뺄셈을 공부하고, 2권~5권은 한 자리 덧셈, 뺄셈의 체계적 연습으로 세 수의 덧셈, 뺄셈과 □ 구하기를 포함합니다. 6권에서 두 자리와 한 자리의 덧셈, 뺄셈으로 확장하여 공부합니다.

원리

수 모형, 동전 등을 이용하여 원리를 직관적으로 이해하고 쉽게 공부할 수 있도록 하였습니다.

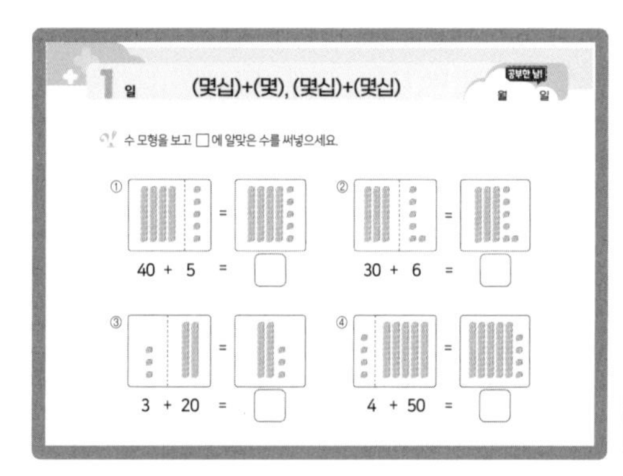

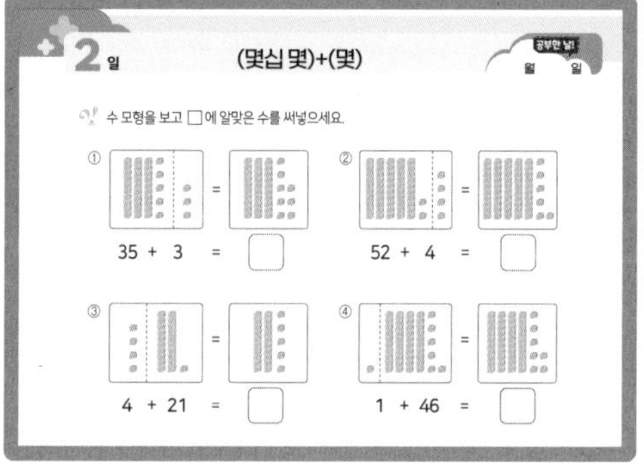

다양한 계산 방법

다양한 계산 방법을 공부함으로써 수를 다루는 감각을 키우고, 상황에 따라 더 정확하고 빠른 계산을 할 수 있도록 하였습니다.

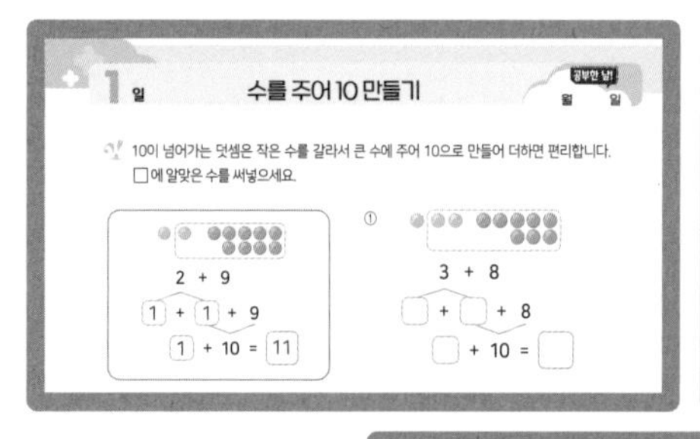

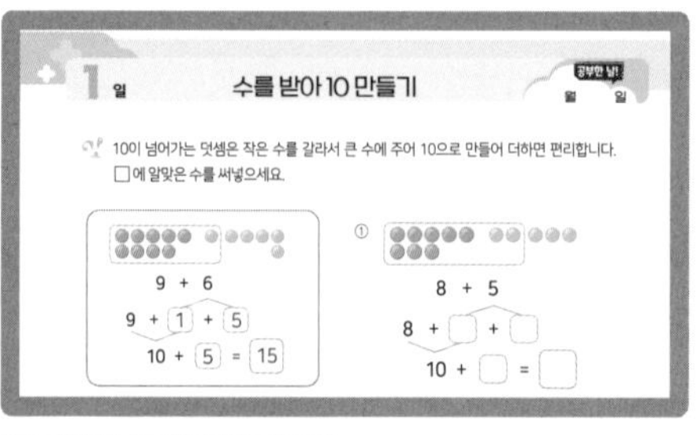

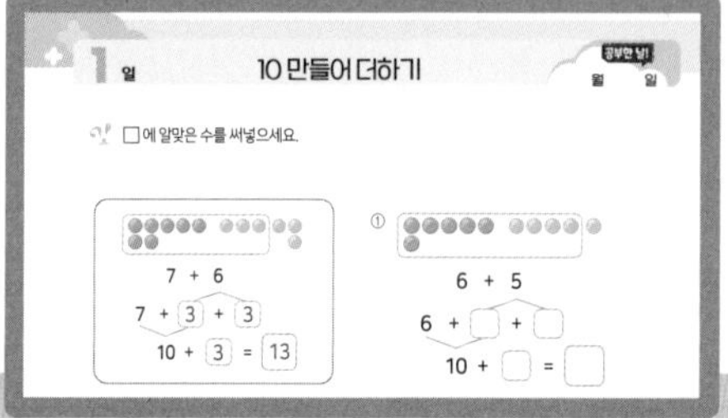

연습

기본 연습 문제를 중심으로 여러 형태의 문제로 지루하지 않게 반복하여 연습할 수 있도록 구성하였습니다.

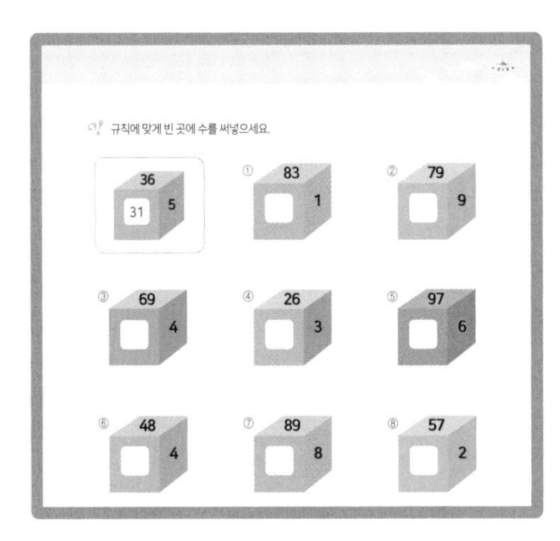

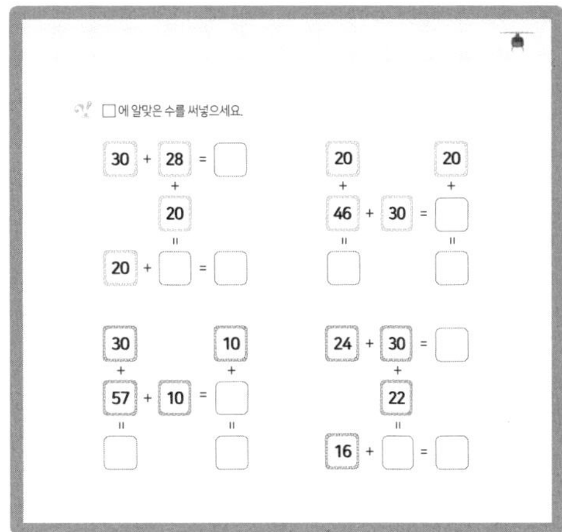

도전! 계산왕

주제가 구분되는 두 개의 단원은 정확성과 빠른 계산을 위한 집중 연습으로 주제를 마무리 합니다.

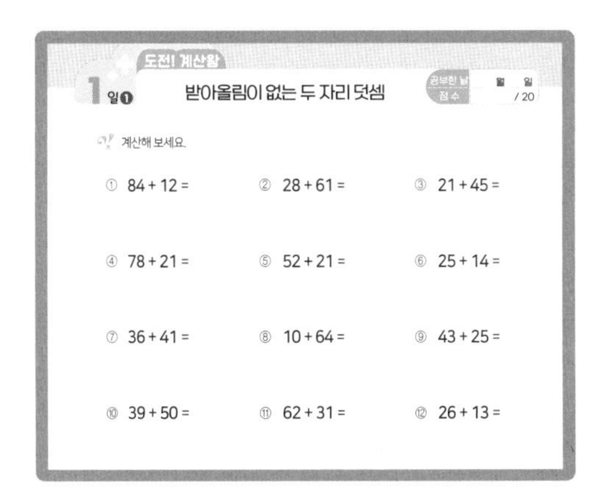

성취도 평가

개념의 이해와 연산의 수행에 부족한 부분은 없는지 성취도 평가를 통해 확인합니다.

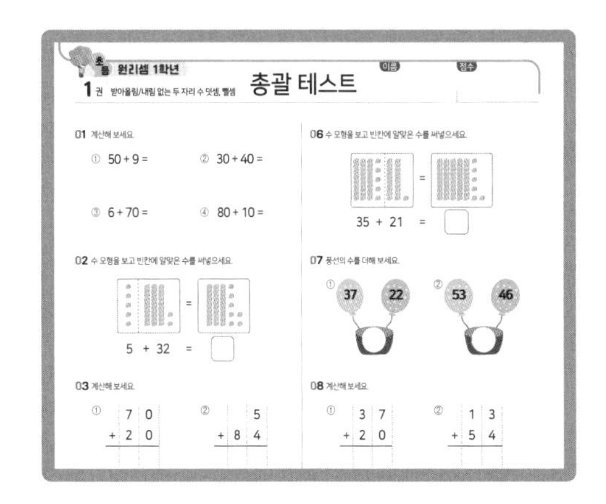

책의 사이사이에 학생의 학습을 돕기 위한 저자의 내용을 잘 이용하세요.

단원의 학습 내용과 방향

한 주차가 시작되는 쪽의 아래에 그 단원의 학습 내용과 어떤 방향으로 공부하는지를 설명해 놓았습니다.
학부모님이나 학생이 단원을 시작하기 전에 가볍게 읽어 보고 공부하도록 해 주세요.

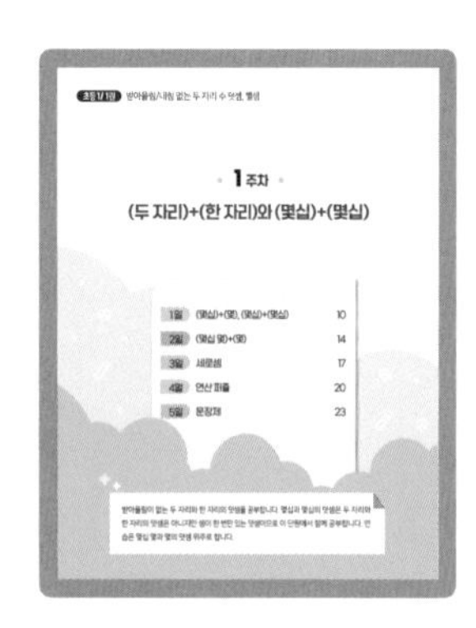

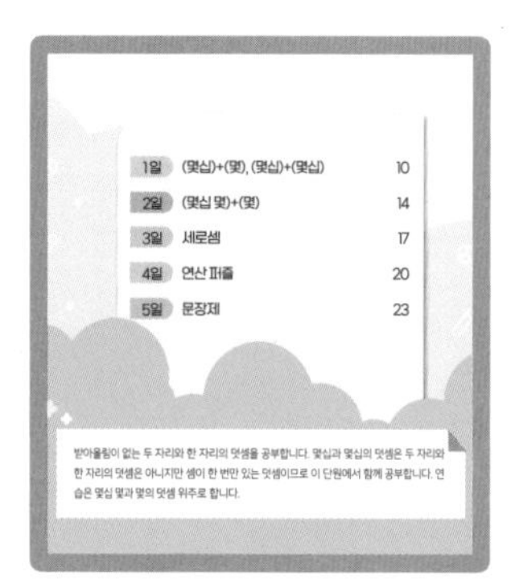

이해를 돕는 저자의 동영상 강의

처음 접하는 원리/개념과 연산 방법의 이해를 돕기 위한 동영상 강의가 있으니 이해가 어려운 내용은 QR코드를 이용하여 편리하게 동영상 강의를 보고, 공부하도록 하세요.

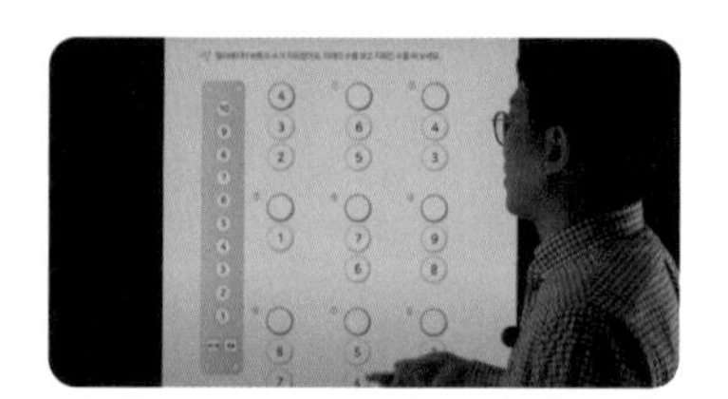

학습 Tip

간략한 도움글은 각 쪽의 아래에 있습니다.

천종현수학연구소 네이버 카페와 홈페이지를 활용하세요.

카페와 홈페이지에는 추가 문제 자료가 있고, 연산 외에서 수학 학습에 어려움을 상담 받을 수 있습니다.

네이버에서 천종현수학연구소를 검색하세요.

1 주차

더하기 2, 3, 4

1일	수를 주어 10 만들기	10
2일	2의 단, 3의 단, 4의 단	13
3일	더하기 2, 3, 4	17
4일	연산 퍼즐	19
5일	문장제	21

받아올림이 있는 작은 수의 덧셈에서는 작은 수를 갈라 큰 수에 수를 주어서 10을 만들어 계산하는 원리를 배웁니다. 더하기 2, 3, 4를 빠르고 정확하게 계산할 수 있습니다.

수를 주어 10 만들기

10이 넘어가는 덧셈은 작은 수를 갈라서 큰 수에 주어 10을 만들어 더하면 편리합니다. □에 알맞은 수를 써넣으세요.

2 + 9

1 + 1 + 9

1 + 10 = 11

① 3 + 8

□ + □ + 8

□ + 10 = □

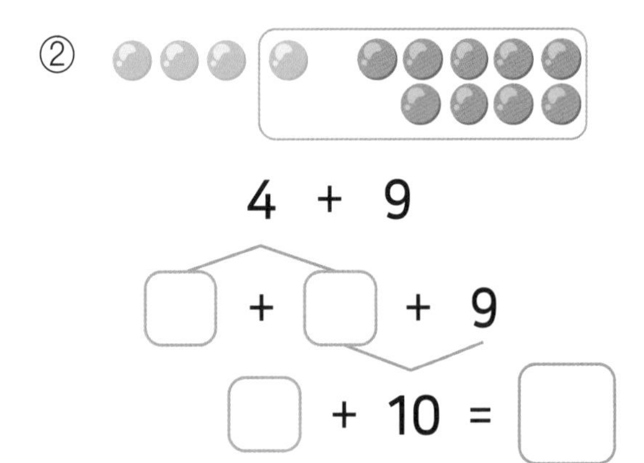

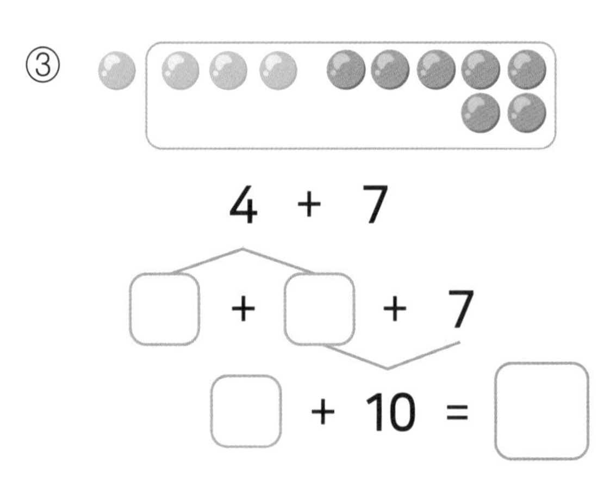

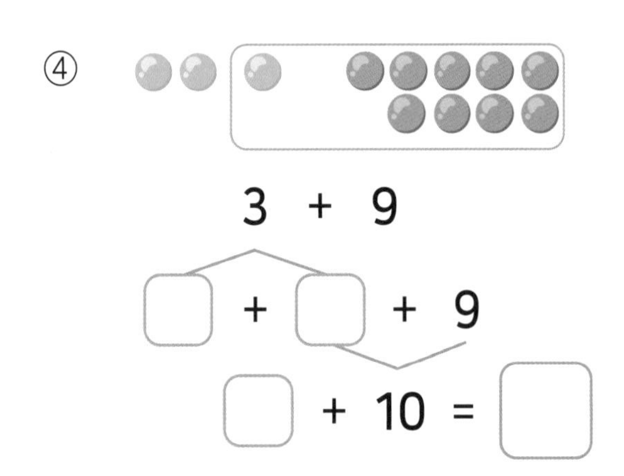

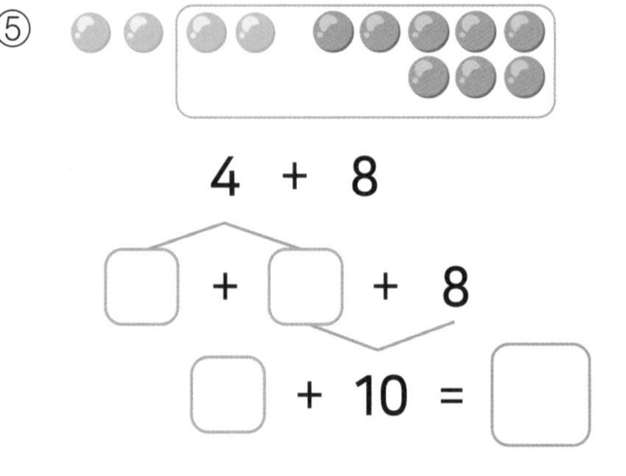

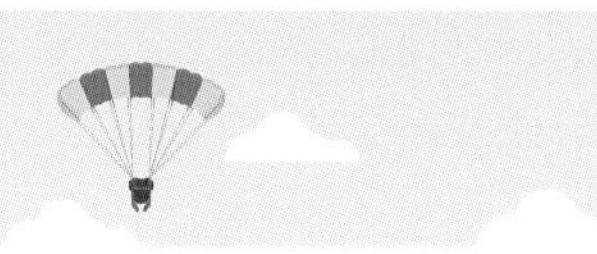

작은 수에서 큰 수로 수를 주어 10을 만들어 계산하세요.

보기
3 + 9 = 12 (3에서 9로 1을 줌)

① 4 + 6 = ☐ (☐)

② 3 + 7 = ☐ (☐)

③ 4 + 8 = ☐ (☐)

④ 2 + 9 = ☐ (☐)

⑤ 3 + 9 = ☐ (☐)

⑥ 4 + 7 = ☐ (☐)

⑦ 2 + 8 = ☐ (☐)

⑧ 3 + 8 = ☐ (☐)

⑨ 4 + 9 = ☐ (☐)

규칙을 보고 꽃잎에 알맞은 수를 써넣으세요.

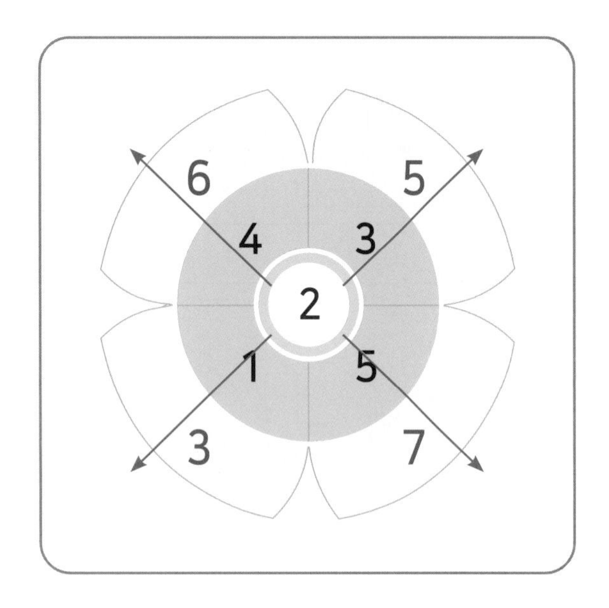

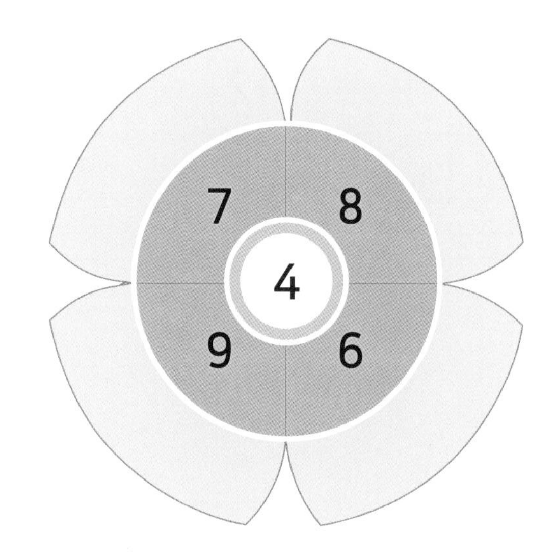

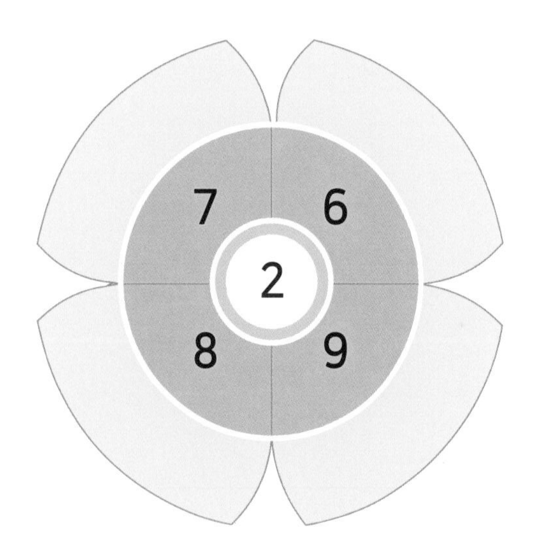

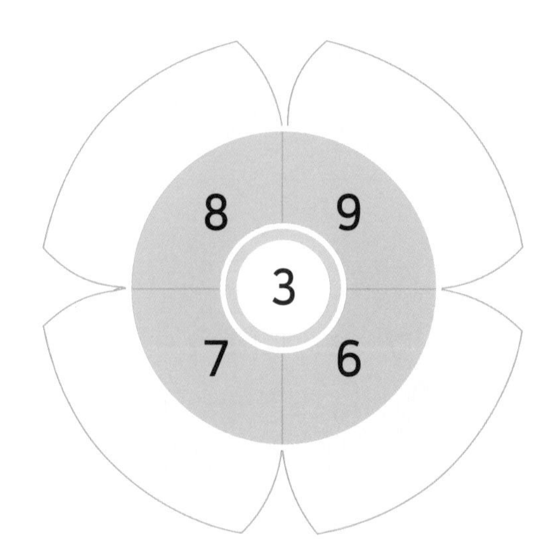

2일 2의 단, 3의 단, 4의 단

2의 단 덧셈을 해 보세요.

①  $2 + 0 =$ ☐

② 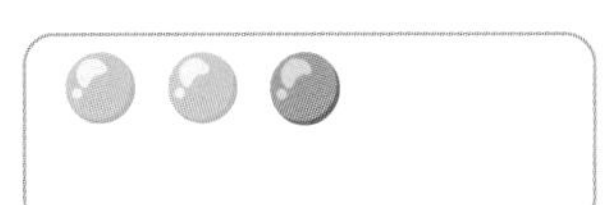 $2 + 1 =$ ☐

③ 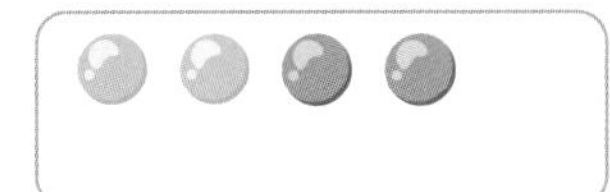 $2 + 2 =$ ☐

④ 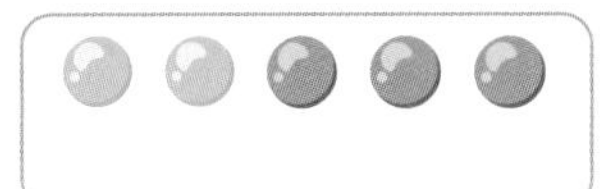 $2 + 3 =$ ☐

⑤ 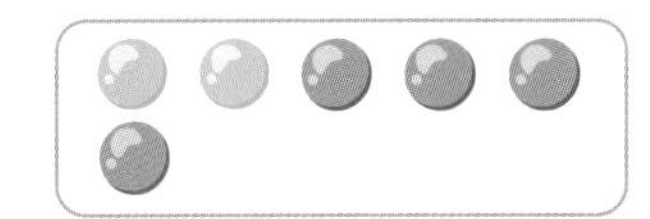 $2 + 4 =$ ☐

⑥ 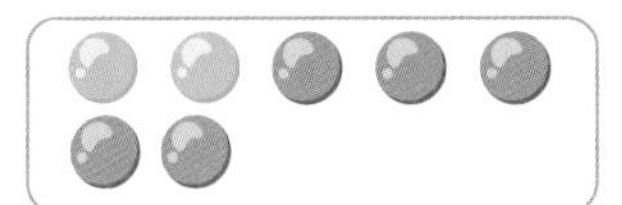 $2 + 5 =$ ☐

⑦ 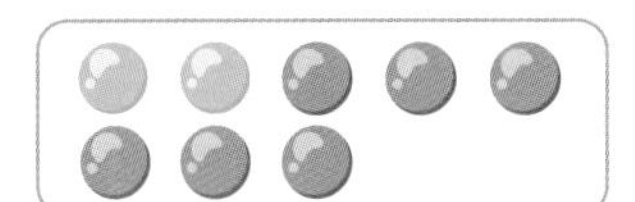 $2 + 6 =$ ☐

⑧ 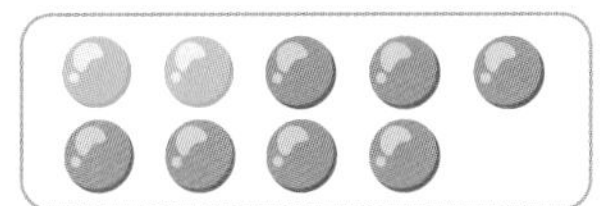 $2 + 7 =$ ☐

⑨ 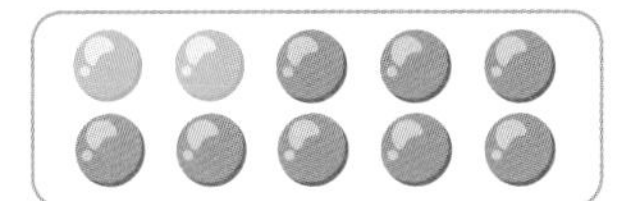 $2 + 8 =$ ☐

⑩  $2 + 9 =$ ☐

3의 단 덧셈을 해 보세요.

① 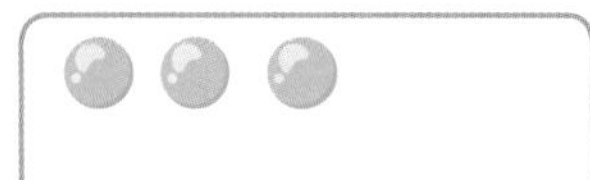 $3 + 0 = \square$

② 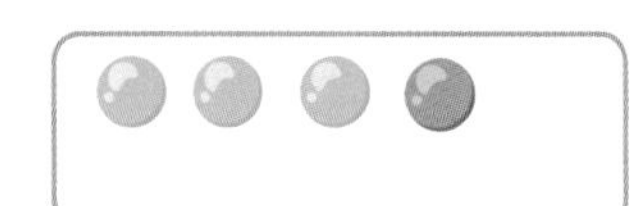 $3 + 1 = \square$

③ 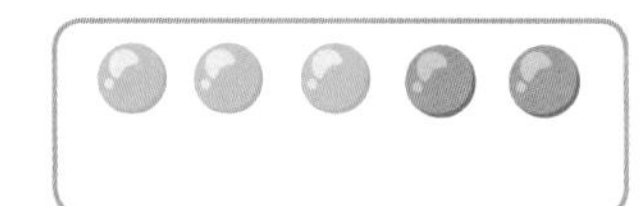 $3 + 2 = \square$

④ 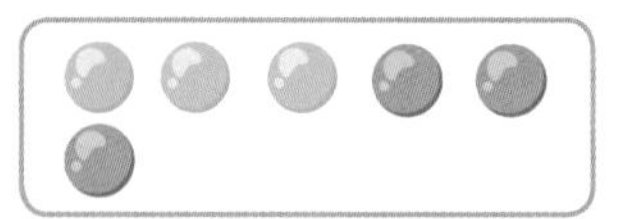 $3 + 3 = \square$

⑤ 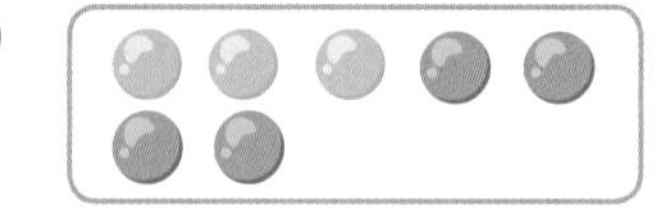 $3 + 4 = \square$

⑥ 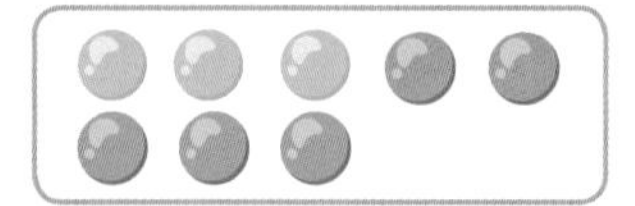 $3 + 5 = \square$

⑦ 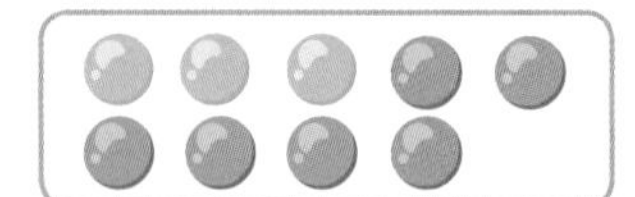 $3 + 6 = \square$

⑧ 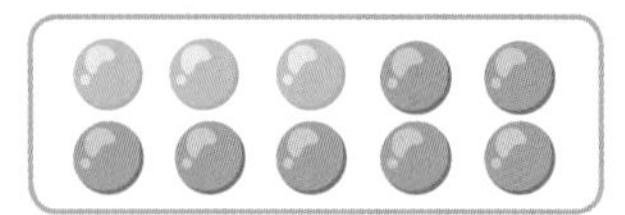 $3 + 7 = \square$

⑨  $3 + 8 = \square$

⑩  $3 + 9 = \square$

4의 단 덧셈을 해 보세요.

① $4 + 0 = \square$

② $4 + 1 = \square$

③ $4 + 2 = \square$

④ $4 + 3 = \square$

⑤ $4 + 4 = \square$

⑥ $4 + 5 = \square$

⑦ $4 + 6 = \square$

⑧ $4 + 7 = \square$

⑨ $4 + 8 = \square$

⑩ $4 + 9 = \square$

계산해 보세요.

① $2+5=$

② $3+8=$

③ $3+6=$

④ $4+5=$

⑤ $2+9=$

⑥ $4+8=$

⑦ $3+7=$

⑧ $2+8=$

⑨ $4+9=$

⑩ $3+9=$

⑪ $4+4=$

⑫ $4+6=$

⑬ $4+7=$

⑭ $2+7=$

⑮ $3+5=$

⑯ $4+3=$

더하기 2, 3, 4

답이 틀린 것을 찾아 바르게 고쳐 보세요.

2 + 6 = 8

4 + 2 = 7 → 6

3 + 4 = 7

2 + 3 = 5

4 + 7 = 11

3 + 3 = 6

2 + 9 = 10

3 + 5 = 8

3 + 4 = 7

4 + 8 = 13

4 + 5 = 9

2 + 7 = 9

3 + 9 = 11

4 + 6 = 10

2 + 5 = 7

4 + 9 = 13

3 + 7 = 10

2 + 8 = 10

4 + 4 = 8

3 + 5 = 7

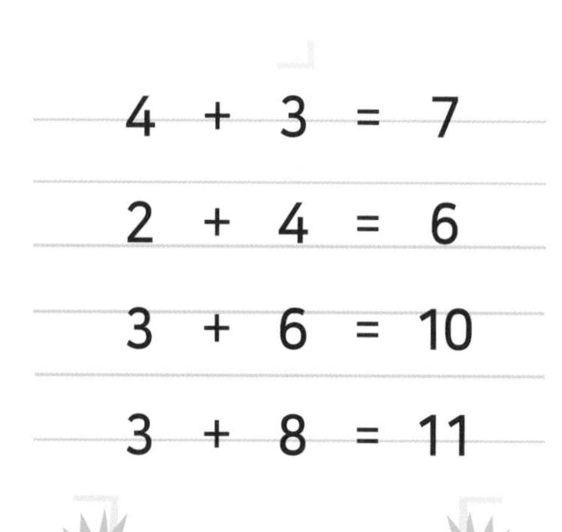

4 + 3 = 7

2 + 4 = 6

3 + 6 = 10

3 + 8 = 11

계산 결과에 알맞게 길을 그려 보세요.

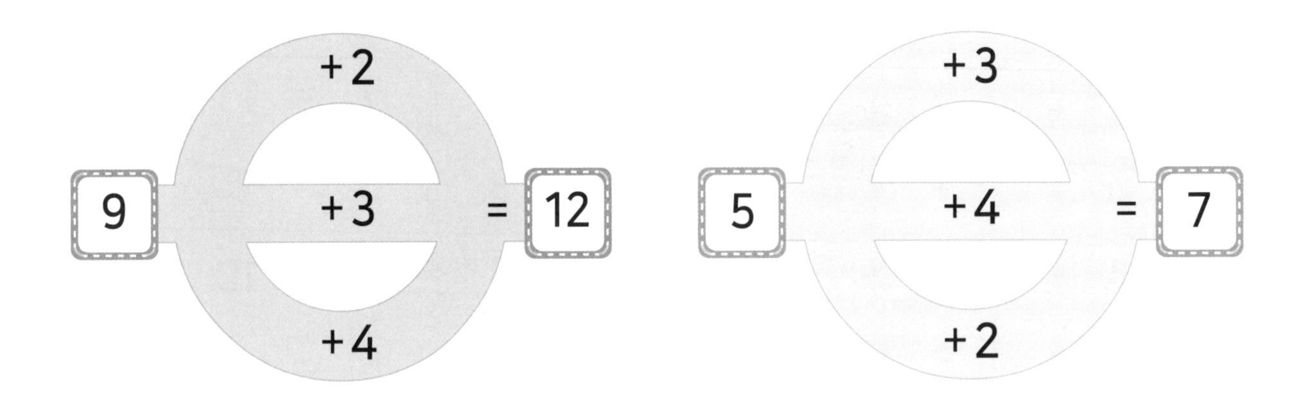

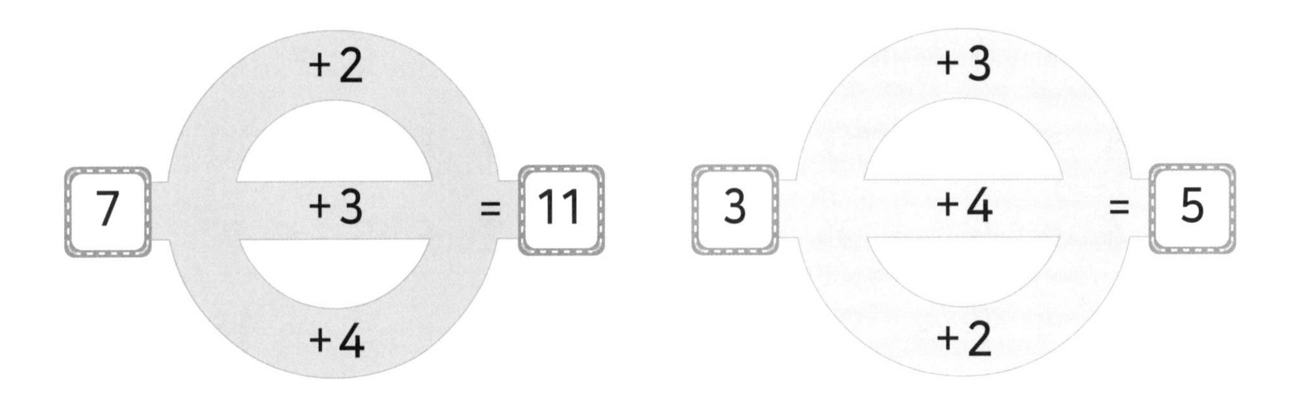

8
+2
+3
+4
= 12

4
+3
+4
+2
= 7

연산 퍼즐

가로, 세로의 수를 더해서 표를 완성하세요.

2	6	+	8
4	+	4	8
+	3	7	10
6	9	11	

5	4	+	
+	6	2	
3	+	9	

8	+	2	
+	3	4	
4	7	+	

+	4	9	
6	+	3	
2	3	+	

7	+	4	
2	9	+	
+	3	2	

+	8	3	
2	2	+	
4	+	4	

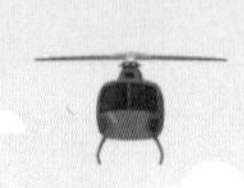

계산 결과가 같은 것끼리 선으로 이어 보세요.

6+2　　5+1　　5+4　　4+7

9+2　　7+2　　3+5　　3+3

2+2　　2+5　　3+7　　9+3

6+4　　8+4　　3+1　　4+3

문장제

글과 그림을 보고 물음에 알맞은 식을 세우고 답을 구하세요.

꽃밭에 하얀 꽃 4송이와 노란 꽃 7송이가 있고 주변에 5마리의 노란 나비가 날고 있습니다.

★ 꽃밭에 있는 꽃은 모두 몇 송이일까요?

식 : 7 + 4 = 11　　답 : 11 송이

① 꽃밭에 있는 하얀 꽃의 수와 노란 나비의 수를 더하면 몇일까요?

식 : ______　　답 : ______

문제를 읽고 알맞은 식과 답을 써 보세요.

① 감나무에 잘 익은 감이 9개, 아직 익지 않은 감이 2개 달려 있습니다. 감나무에 달린 감은 모두 몇 개일까요?

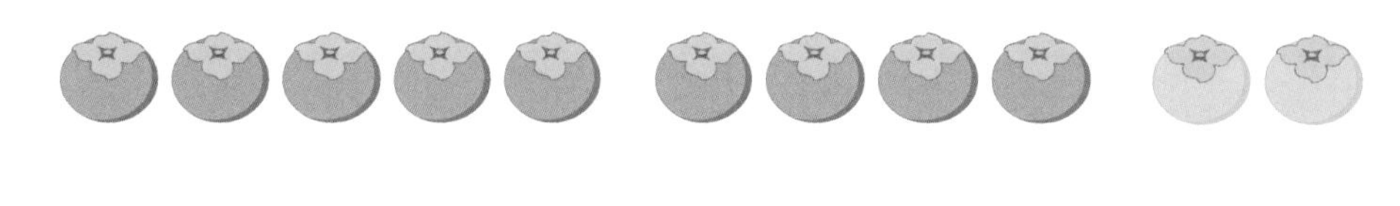

식 : ______________________ 답 : ______ 개

② 동물원 우리 안에 기린이 8마리, 사슴이 4마리 들어가 있습니다. 기린과 사슴은 모두 몇 마리일까요?

식 : ______________________ 답 : ______ 마리

③ 쟁반 위의 귤 3개를 먹고 남은 귤을 세어 보니 7개입니다. 처음에 쟁반 위에 있던 귤은 몇 개일까요?

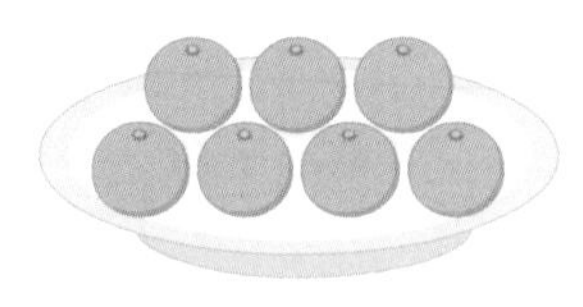

식 : ______________________ 답 : ______ 개

문제를 읽고 알맞은 식과 답을 써 보세요.

① 장난감 자동차가 3개, 장난감 배가 8개 있습니다. 장난감은 모두 몇 개일까요?

식 : ______________________ 답 : ______ 개

② 곰 인형이 7개, 강아지 인형이 4개, 꽃 인형이 3개 있습니다. 동물 인형은 모두 몇 개일까요?

식 : ______________________ 답 : ______ 개

③ 세영이는 친구들과 딱지 놀이를 했습니다. 지운이의 딱지를 4개 따고, 성훈이의 딱지를 9개 땄다면 세영이가 딴 딱지는 모두 몇 개일까요?

식 : ______________________ 답 : ______ 개

문제를 읽고 알맞은 식과 답을 써 보세요.

① 서랍에 빨간 구슬이 9개, 파란 구슬이 3개 들어 있습니다. 서랍에 있는 구슬은 모두 몇 개일까요?

식 : ______________________ 답 : ______ 개

② 민경이는 사탕을 2개 가지고 있는데 아버지께서 8개를 더 주셨습니다. 민경이가 가지고 있는 사탕은 몇 개일까요?

식 : ______________________ 답 : ______ 개

③ 어린이들이 독감 주사를 맞기 위해 병원에 왔습니다. 먼저 4명이 들어가 주사를 맞고, 6명이 들어가 주사를 맞았습니다. 주사를 맞은 어린이는 모두 몇 명일까요?

식 : ______________________ 답 : ______ 명

2주차

더하기 9, 8

1일	수를 받아 10 만들기	26
2일	9의 단, 8의 단	29
3일	더하기 9, 8	32
4일	연산 퍼즐	35
5일	문장제	37

받아올림이 있는 큰 수의 덧셈에서는 작은 수로부터 수를 받아서 10을 만들어 계산하는 원리를 배웁니다. 더하기 9, 8을 빠르고 정확하게 계산할 수 있습니다. 또한 덧셈구구는 10이 되는 두 수를 기준으로 생각하여 쉽게 계산할 수 있도록 도와줍니다.

수를 받아 10 만들기

10이 넘어가는 덧셈은 작은 수를 갈라서 큰 수에 주어 10을 만들어 더하면 편리합니다. □에 알맞은 수를 써넣으세요.

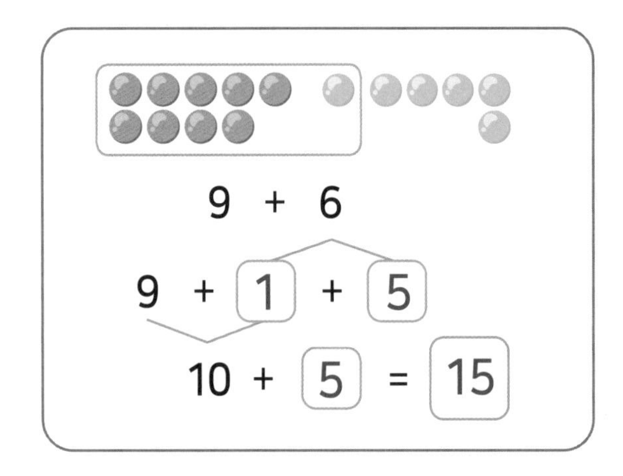

① 8 + 5

8 + □ + □

10 + □ = □

②
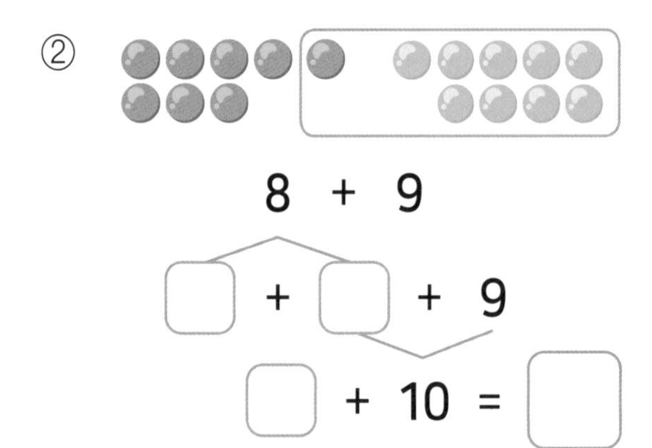

③
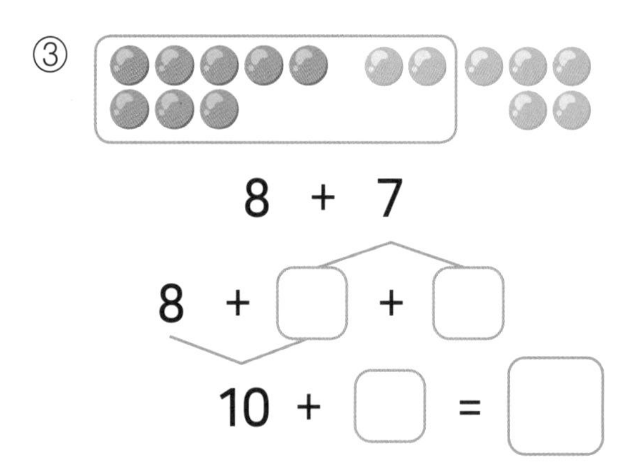

④
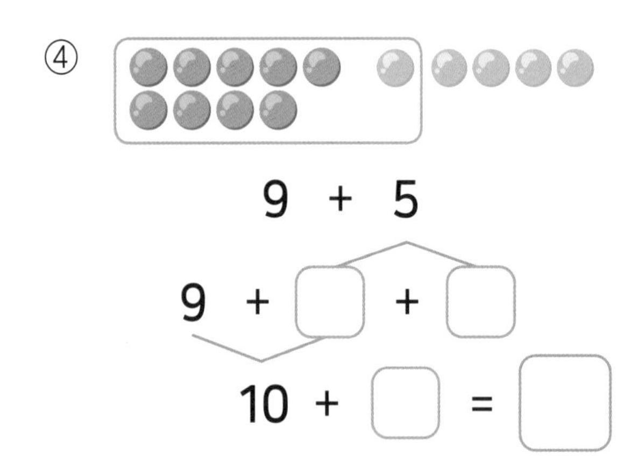

⑤
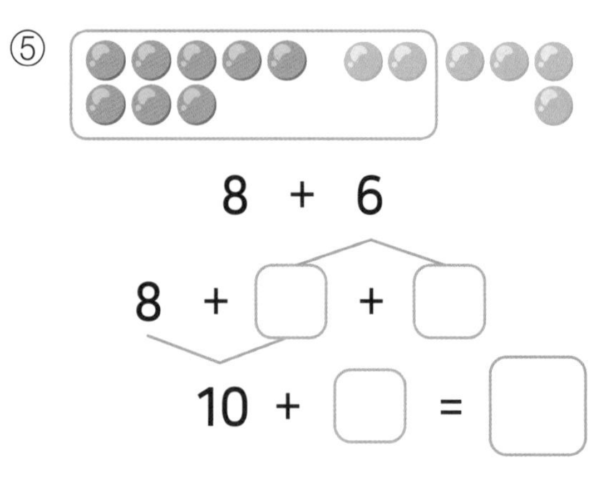

작은 수에서 큰 수로 수를 주어 10을 만들어 계산하세요.

보기
9 + 4 = 13 (4에서 9로 1을 줍니다: 1)

① 8 + 6 = ☐ (6 → 8: ☐)

② 9 + 5 = ☐ (5 → 9: ☐)

③ 8 + 4 = ☐ (4 → 8: ☐)

④ 8 + 7 = ☐ (7 → 8: ☐)

⑤ 9 + 7 = ☐ (7 → 9: ☐)

⑥ 8 + 8 = ☐ (8 → 8: ☐)

⑦ 9 + 8 = ☐ (8 → 9: ☐)

⑧ 9 + 9 = ☐ (9 → 9: ☐)

⑨ 8 + 5 = ☐ (5 → 8: ☐)

피라미드 위에는 아래의 두 수의 합이 들어갑니다. 빈 곳에 알맞은 수를 써넣으세요.

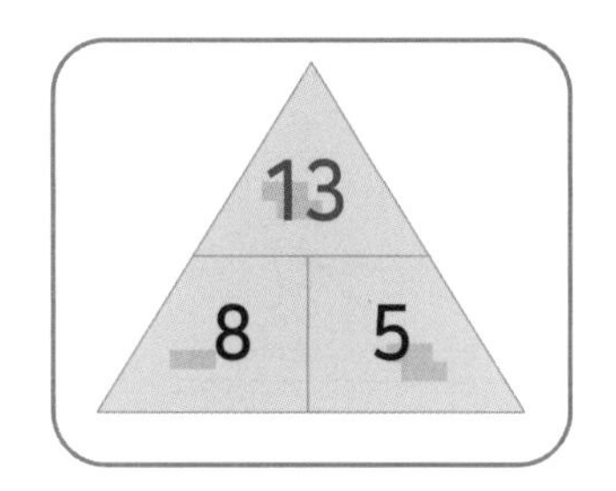

①
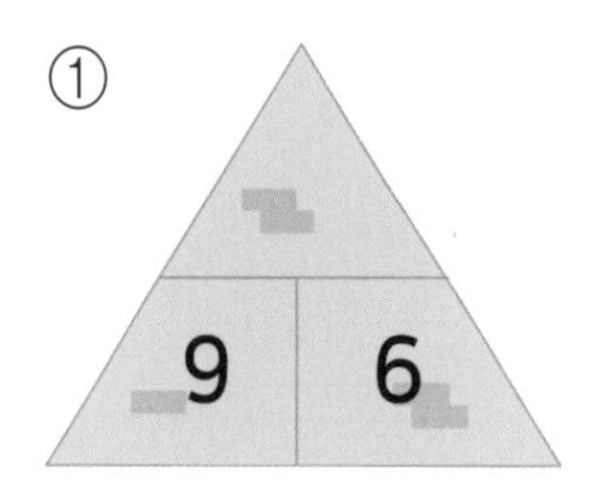

②
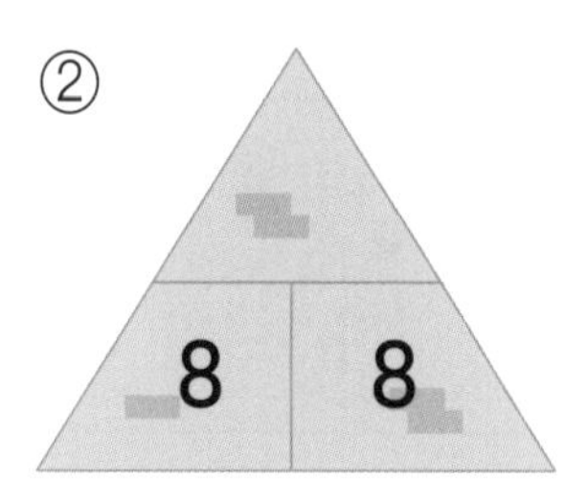

③
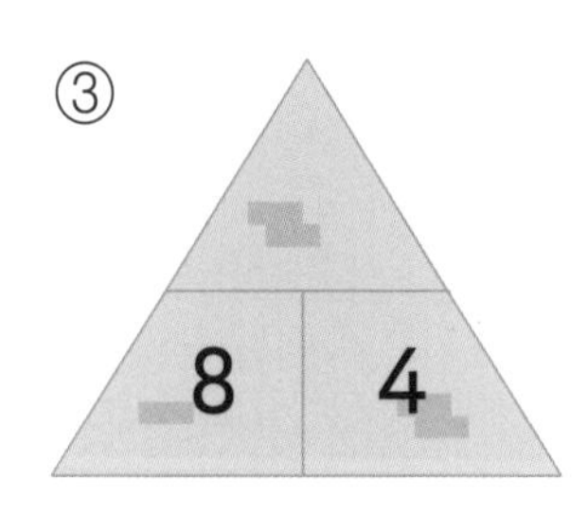

④
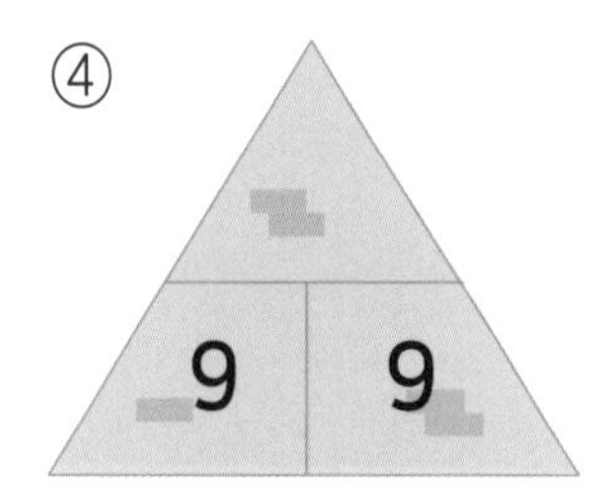

⑤
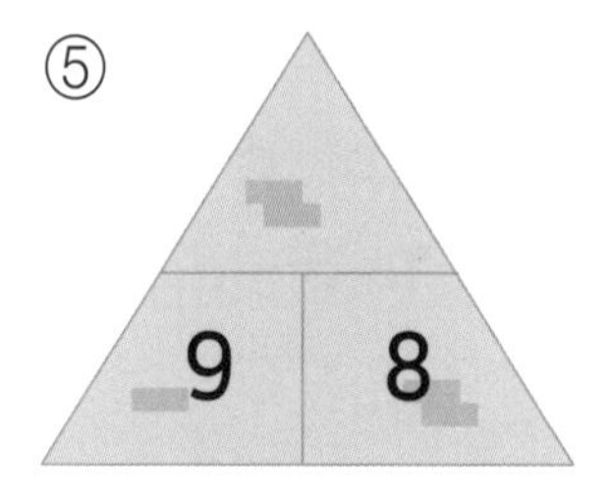

⑥
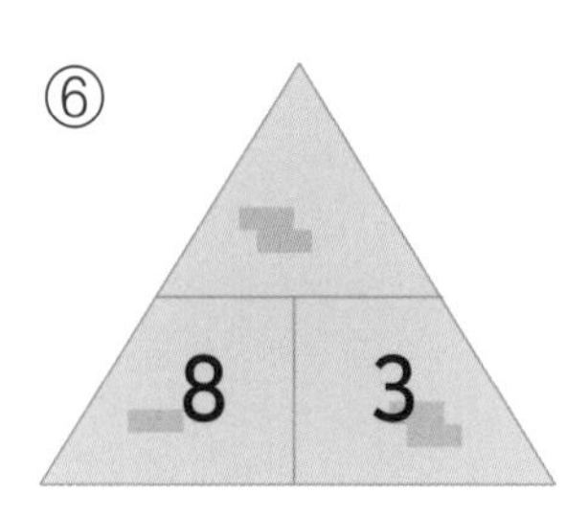

⑦
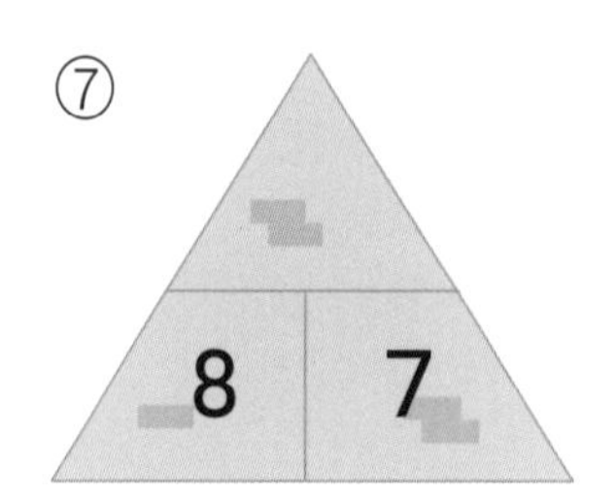

⑧
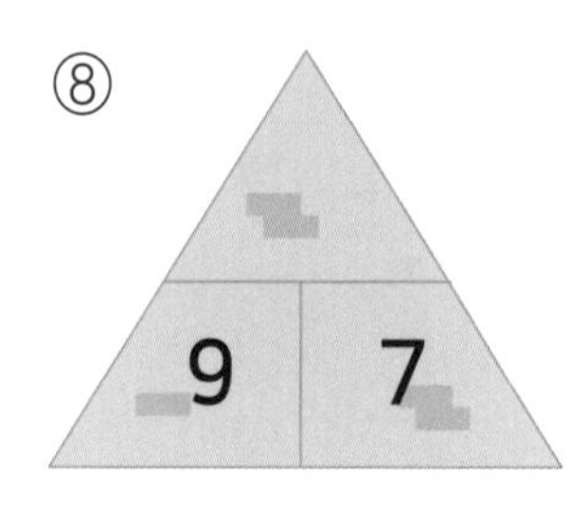

⑨
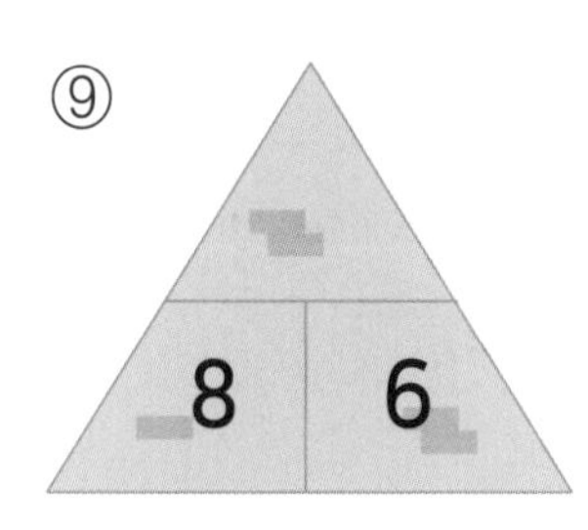

⑩
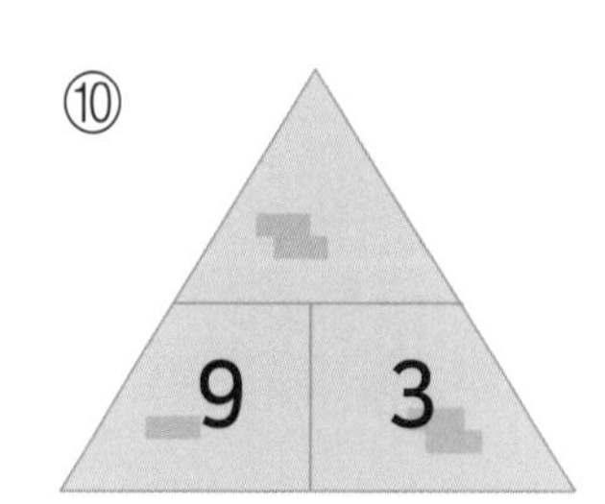

⑪
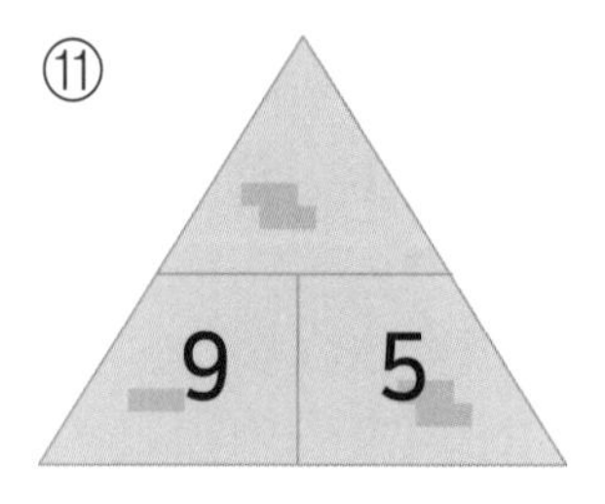

⑫
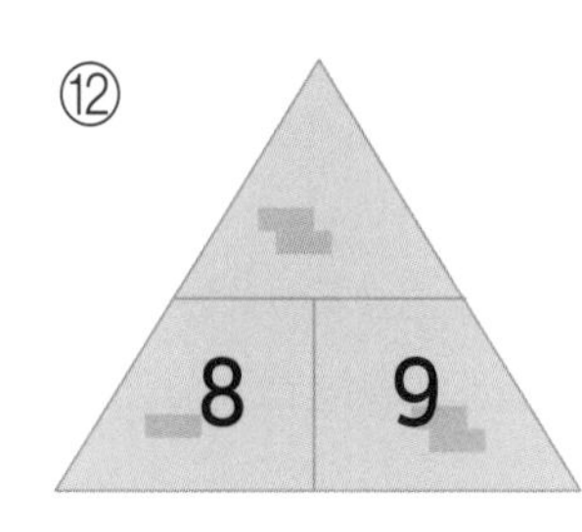

⑬
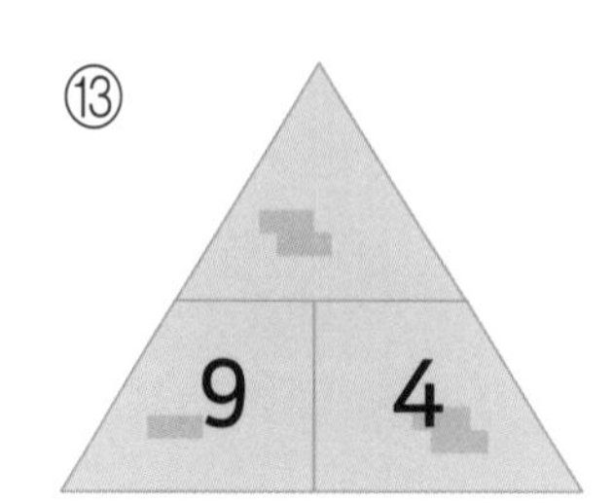

⑭
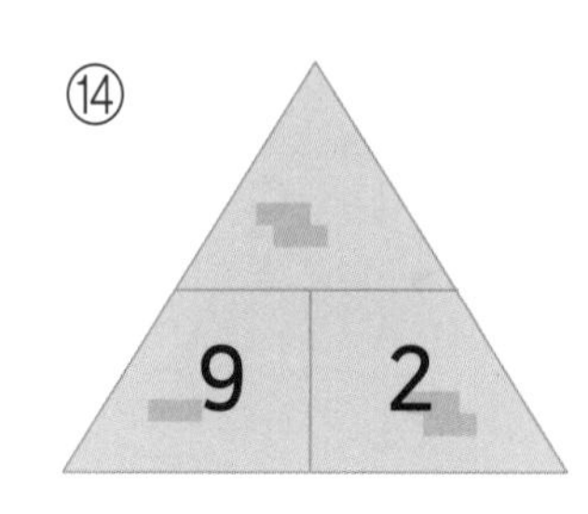

9의 단, 8의 단

9의 단 덧셈을 해 보세요.

① $9 + 0 = \square$

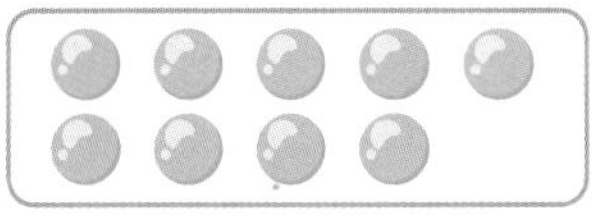

② $9 + 1 = \square$

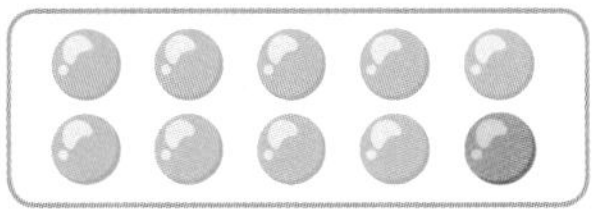

③ $9 + 2 = \square$

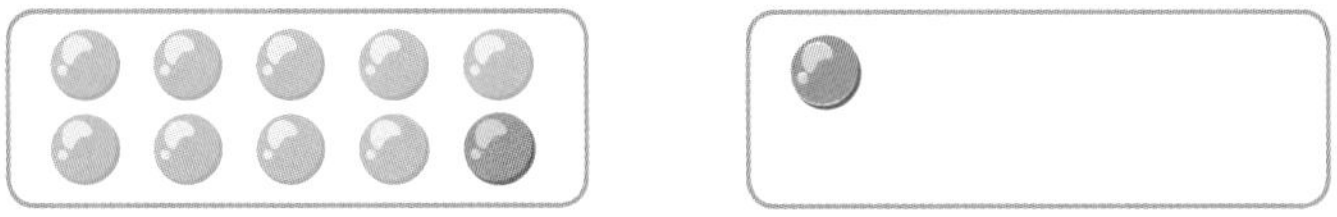

④ $9 + 3 = \square$

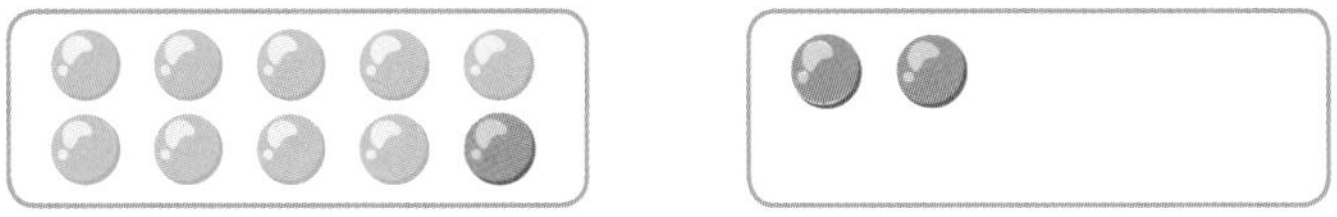

⑤ $9 + 4 = \square$

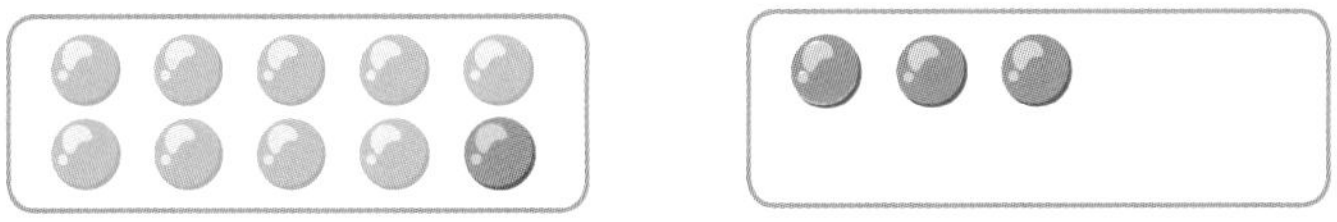

⑥ $9 + 5 = \square$

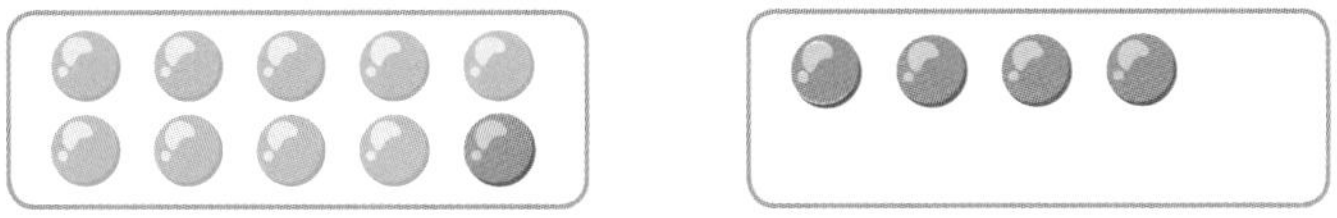

⑦ $9 + 6 = \square$

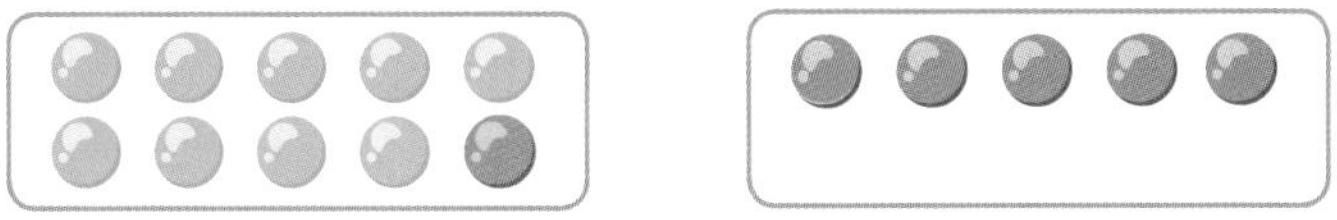

⑧ $9 + 7 = \square$

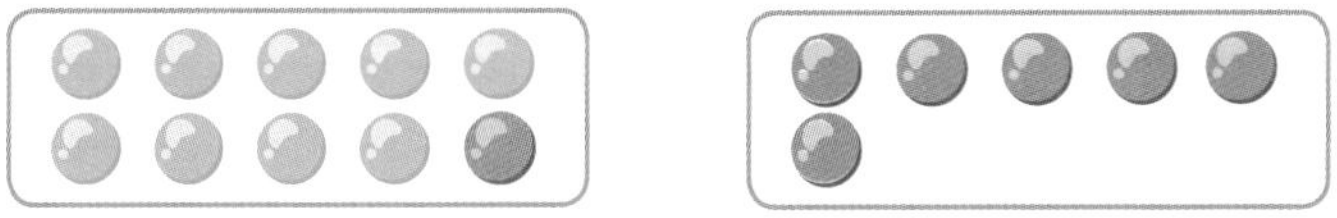

⑨ $9 + 8 = \square$

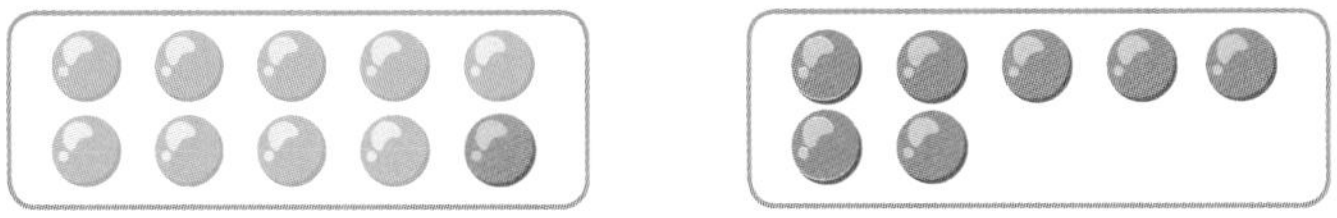

⑩ $9 + 9 = \square$

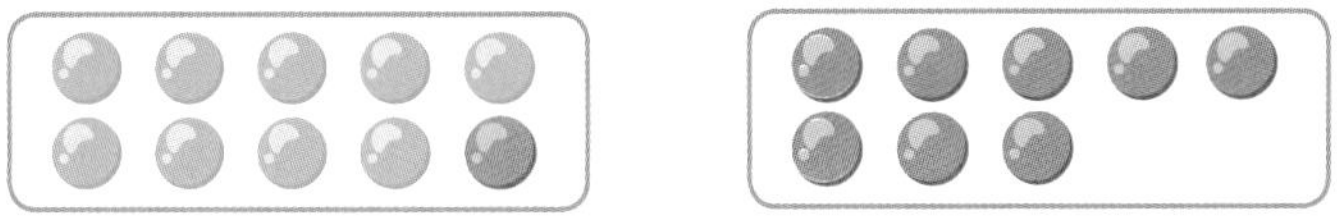

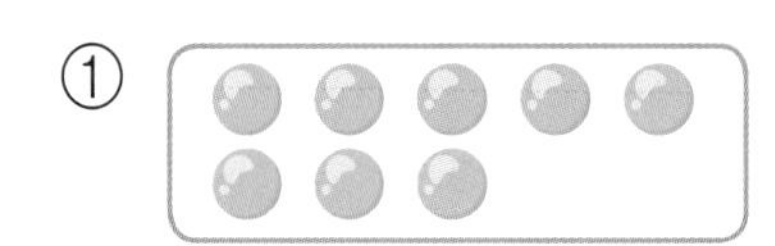

8의 단 덧셈을 해 보세요.

① $8 + 0 = \square$

② $8 + 1 = \square$

③ $8 + 2 = \square$

④ $8 + 3 = \square$

⑤ $8 + 4 = \square$

⑥ $8 + 5 = \square$

⑦ $8 + 6 = \square$

⑧ $8 + 7 = \square$

⑨ $8 + 8 = \square$

⑩ $8 + 9 = \square$

계산해 보세요.

① $8+5=$

② $9+8=$

③ $9+6=$

④ $9+5=$

⑤ $9+9=$

⑥ $9+2=$

⑦ $8+7=$

⑧ $8+8=$

⑨ $8+2=$

⑩ $9+3=$

⑪ $9+4=$

⑫ $8+6=$

⑬ $9+7=$

⑭ $8+4=$

⑮ $8+9=$

⑯ $8+3=$

더하기 9, 8

◯ 안의 수를 더해서 나온 결과를 선으로 이어 보세요.

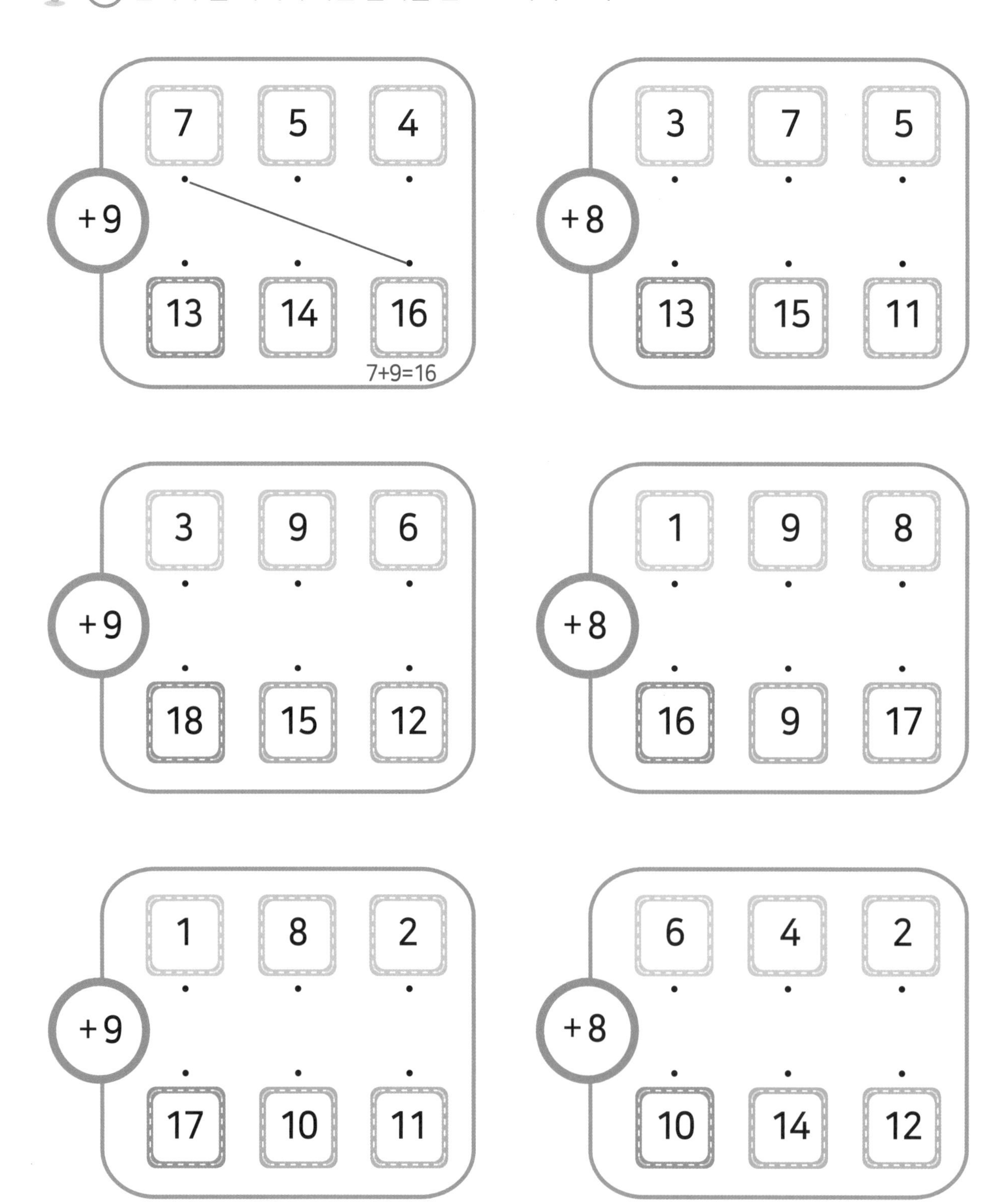

계산해 보세요.

① $9+6=$

② $8+7=$

③ $8+6=$

④ $8+4=$

⑤ $9+5=$

⑥ $8+2=$

⑦ $9+1=$

⑧ $9+3=$

⑨ $8+5=$

⑩ $9+9=$

⑪ $9+4=$

⑫ $8+8=$

⑬ $9+8=$

⑭ $9+7=$

⑮ $8+3=$

⑯ $9+2=$

계산 결과에 알맞게 길을 그려 보세요.

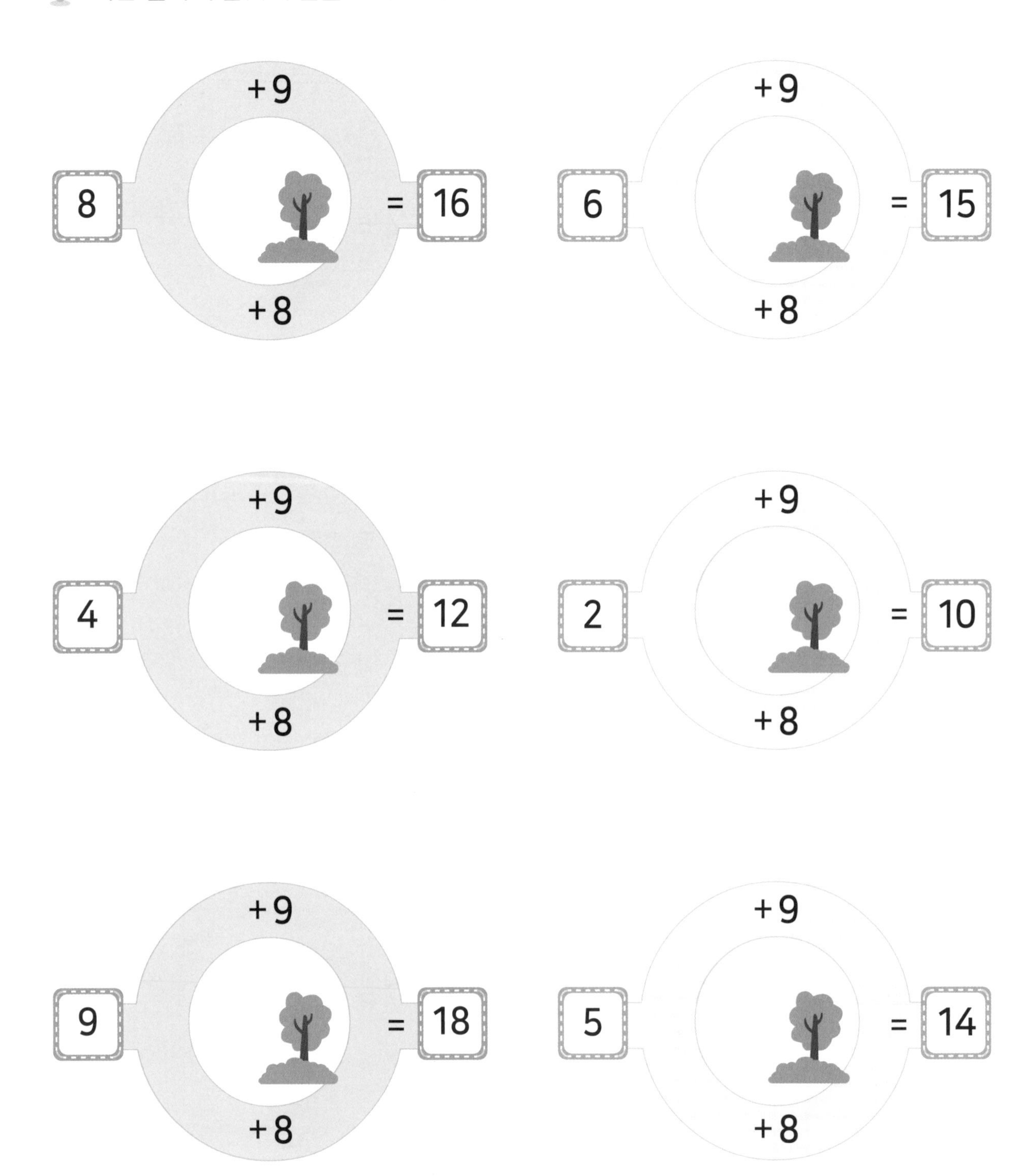

연산 퍼즐

같은 위치의 수를 더해서 아래의 표를 완성하세요.

①

8	9	4
8	1	8
9	9	6

+

2	3	8
7	9	8
5	8	9

=

8+2=

10		

②

4	9	5
1	8	2
8	9	8

+

9	5	8
8	9	9
6	7	3

=

합이 ◇ 안의 수가 되는 두 수에 ◯표 하세요.

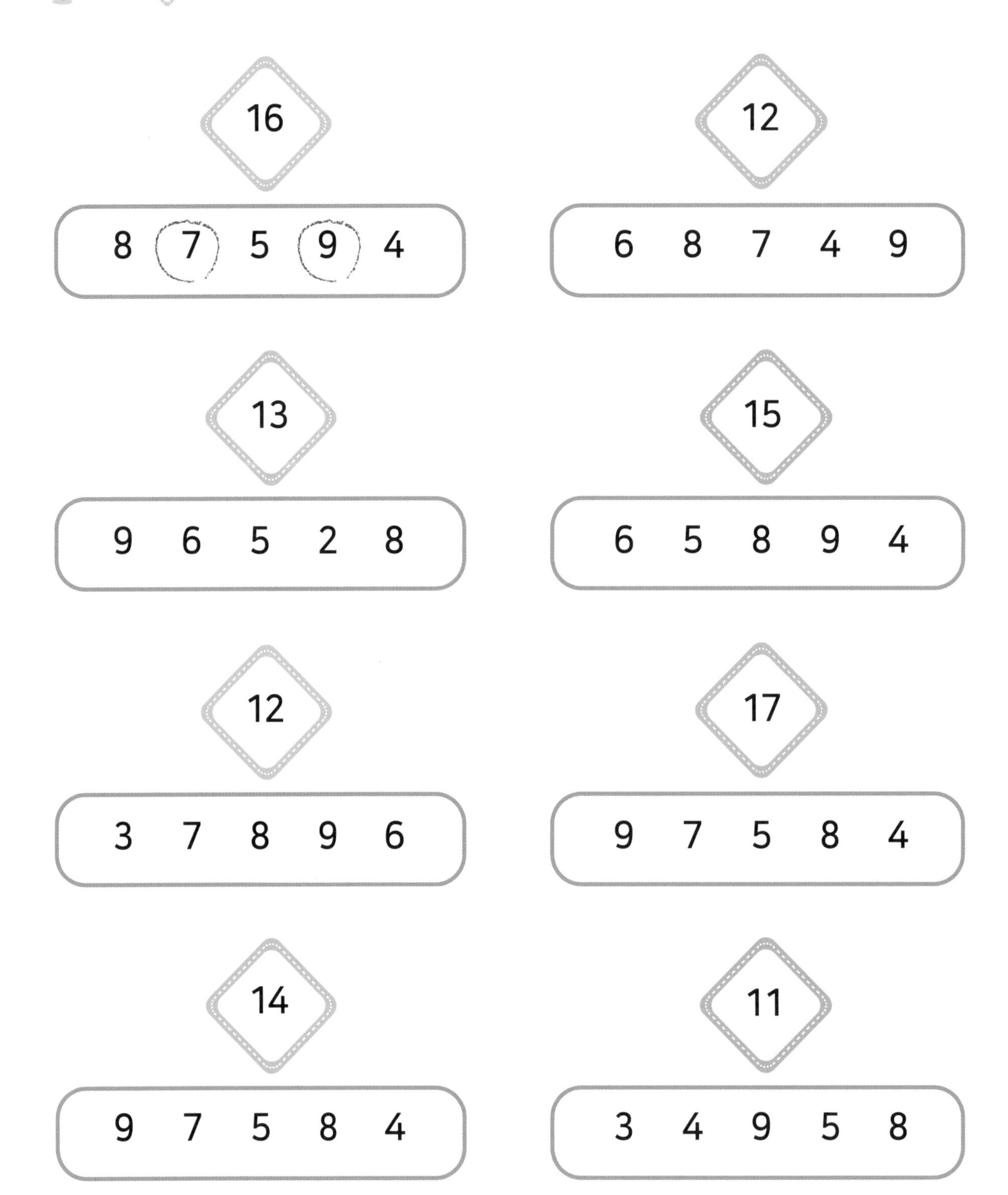

문장제

글과 그림을 보고 물음에 알맞은 식을 세우고 답을 구하세요.

운동장에 있는 공을 세어 보니 축구공이 9개, 농구공이 3개, 배구공이 6개가 있었습니다.

★ 축구공과 농구공은 모두 몇 개일까요?

식 : 9 + 3 = 12　　　답 : 12 개

① 축구공과 배구공은 모두 몇 개일까요?

식 : ________　　　답 : ____ 개

문제를 읽고 알맞은 식과 답을 써 보세요.

① 바둑판에 흰색 바둑알이 7개, 검은색 바둑알이 8개 있습니다. 바둑판 위에 있는 바둑알은 모두 몇 개일까요?

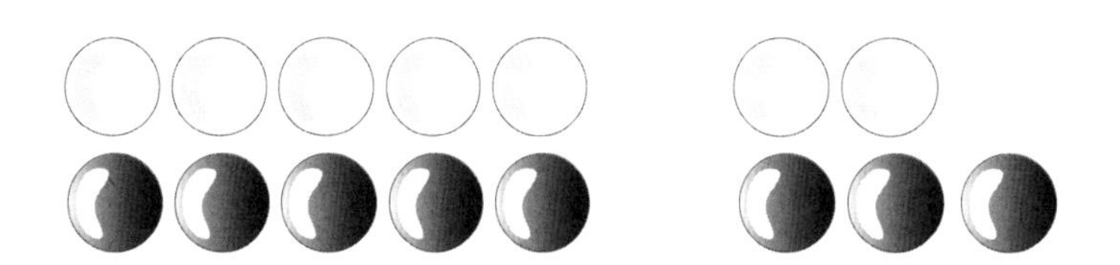

식 : ______________________ 답 : ______ 개

② 책상 위에 연필이 3자루, 색연필이 8자루 있습니다. 연필과 색연필은 모두 몇 자루일까요?

식 : ______________________ 답 : ______ 자루

문제를 읽고 알맞은 식과 답을 써 보세요.

① 수학 문제집을 어제 4쪽을 풀고, 오늘 9쪽을 풀었습니다. 어제와 오늘 푼 수학 문제집은 모두 몇 쪽일까요?

식 : ______________________ 답 : ______ 쪽

② 책장에 동화책이 8권, 위인전이 5권 꽂혀 있습니다. 책장에 책은 모두 몇 권 꽂혀 있을까요?

식 : ______________________ 답 : ______ 권

③ 민섭이가 도토리를 9개 주웠고, 승희는 도토리를 6개 주웠습니다. 민섭이와 승희가 주운 도토리는 모두 몇 개일까요?

식 : ______________________ 답 : ______ 개

문제를 읽고 알맞은 식과 답을 써 보세요.

① 민영이는 집안 일을 도울 때마다 어머니에게 붙임 딱지를 받기로 했습니다. 민영이의 공책에 별 붙임 딱지가 2개, 하트 붙임 딱지가 8개 있다면 어머니가 붙여준 붙임 딱지는 모두 몇 개일까요?

식 : ______________________ 답 : ______ 개

② 마당에 닭이 5마리, 병아리가 9마리 있습니다. 마당에 있는 닭과 병아리는 모두 몇 마리일까요?

식 : ______________________ 답 : ______ 마리

③ 버스 정류장에 여자 아이가 4명, 남자 아이가 8명이 서 있습니다. 버스 정류장에 서 있는 아이들은 모두 몇 명일까요?

식 : ______________________ 답 : ______ 명

3주차

더하기 7, 6

1일	10 만들어 더하기	42
2일	7의 단, 6의 단	45
3일	더하기 7, 6	48
4일	연산 퍼즐	50
5일	문장제	53

1, 2주차에서 공부한 원리가 똑같이 적용되지만 7과 6은 더하는 수의 크기에 따라 생각하는 방법이 달라질 수 있음을 공부합니다. 7과 6에 큰 수를 더할 때는 가르기를 하여 큰 수를 10으로 채우고, 작은 수를 더할 때는 작은 수로부터 수를 받아서 10을 만들어 계산합니다.

10 만들어 더하기

□에 알맞은 수를 써넣으세요.

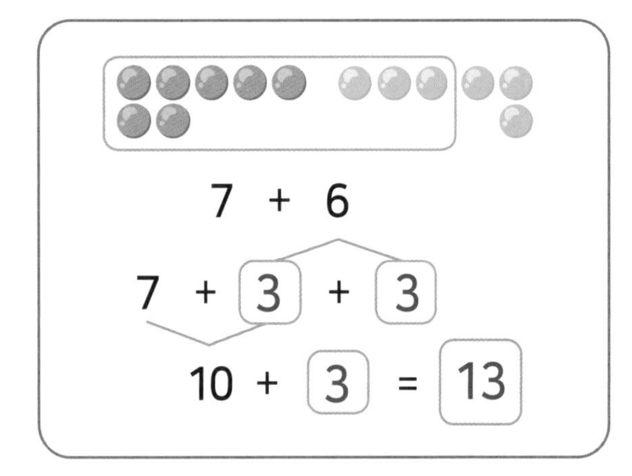

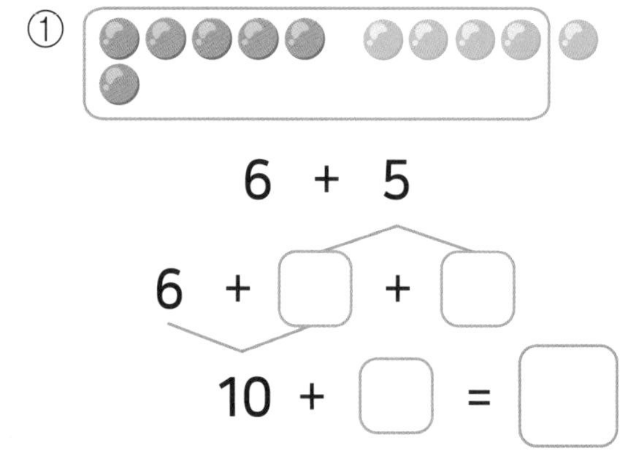

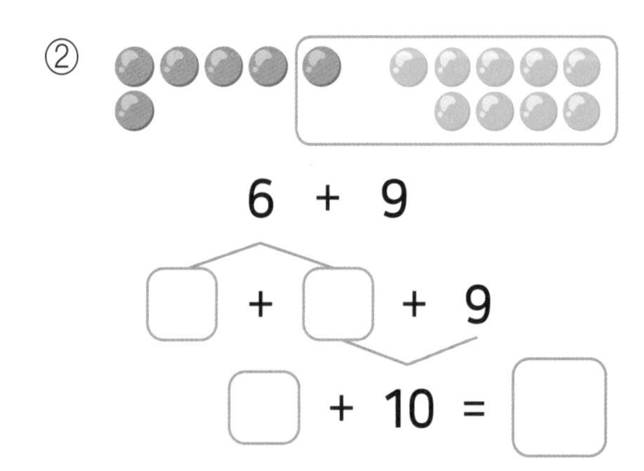

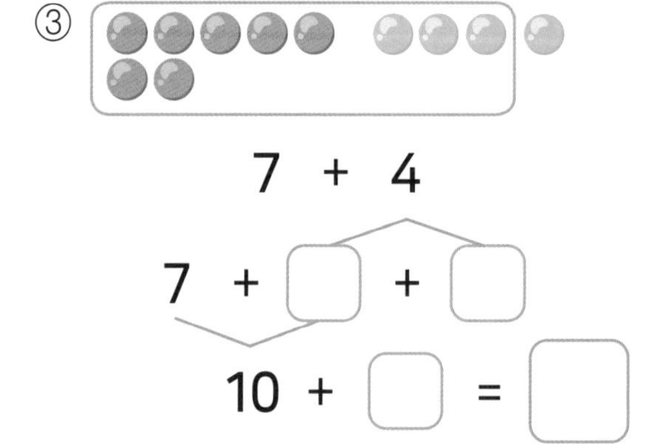

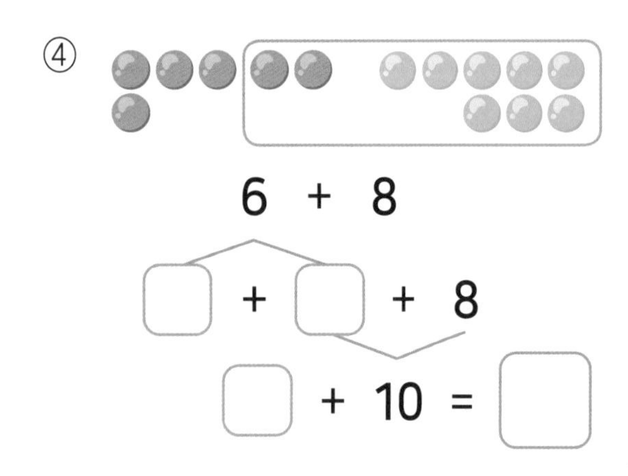

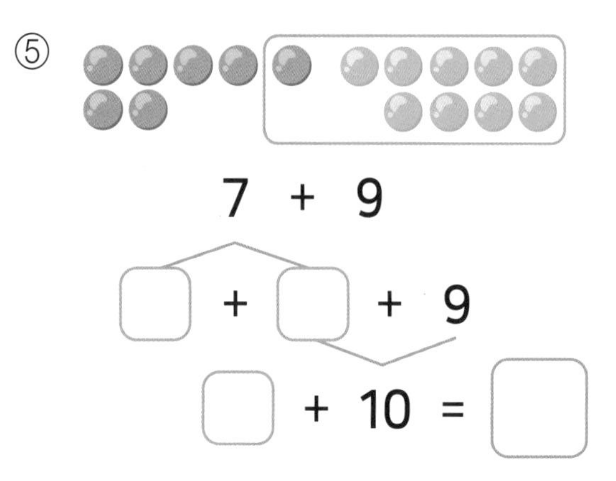

작은 수에서 큰 수로 수를 주어 10을 만들어 계산하세요.

$7 + 4 = \boxed{11}$ (4에서 7로 $\boxed{3}$)

① $7 + 6 = \square$ (6에서 7로 $\square$)

② $6 + 5 = \square$ (5에서 6으로 $\square$)

③ $7 + 5 = \square$ (5에서 7로 $\square$)

④ $7 + 7 = \square$ (7에서 7로 $\square$)

⑤ $6 + 6 = \square$ (6에서 6으로 $\square$)

⑥ $6 + 8 = \square$ (6에서 8로 $\square$)

⑦ $6 + 9 = \square$ (6에서 9로 $\square$)

⑧ $7 + 9 = \square$ (7에서 9로 $\square$)

⑨ $7 + 8 = \square$ (7에서 8로 $\square$)

가로, 세로로 수를 더해서 □에 알맞은 수를 써넣으세요.

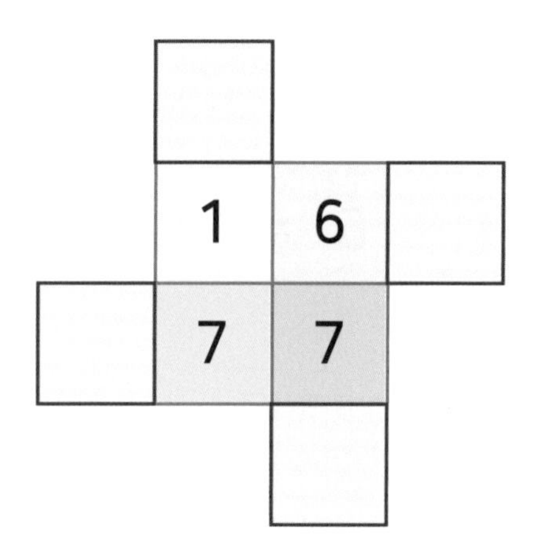

6 3
9 7

1 6
7 7

7 4
8 6

6 5
7 7

2 7
6 6

2일 7의 단, 6의 단

7의 단 덧셈을 해 보세요.

① $7 + 0 = \square$

② $7 + 1 = \square$

③ $7 + 2 = \square$

④ $7 + 3 = \square$

⑤ $7 + 4 = \square$

⑥ $7 + 5 = \square$

⑦ $7 + 6 = \square$

⑧ $7 + 7 = \square$

⑨ $7 + 8 = \square$

⑩ $7 + 9 = \square$

6의 단 덧셈을 해 보세요.

① 

$6 + 0 = \square$

② $6 + 1 = \square$

③ $6 + 2 = \square$

④ $6 + 3 = \square$

⑤ $6 + 4 = \square$

⑥ $6 + 5 = \square$

⑦ $6 + 6 = \square$

⑧ $6 + 7 = \square$

⑨ $6 + 8 = \square$

⑩ $6 + 9 = \square$

계산해 보세요.

① $6+5=$

② $7+8=$

③ $7+6=$

④ $6+4=$

⑤ $6+9=$

⑥ $7+2=$

⑦ $6+8=$

⑧ $7+7=$

⑨ $7+9=$

⑩ $6+3=$

⑪ $7+4=$

⑫ $6+6=$

⑬ $6+7=$

⑭ $7+3=$

⑮ $7+5=$

⑯ $6+2=$

더하기 7, 6

규칙을 보고 빈칸에 알맞은 수를 써넣으세요.

+	1	2	3
7	8	9	10

7+1=8 7+2=9 7+3=10

①

+	1	2	3
6			

②

+	7	8	9
7			

③

+	7	8	9
6			

④

+	3	4	5
7			

⑤

+	4	5	6
6			

⑥

+	2	4	6
7			

⑦

+	2	4	6
6			

⑧

+	5	7	9
7			

⑨

+	5	7	9
6			

계산해 보세요.

① $6 + 6 =$

② $7 + 9 =$

③ $7 + 6 =$

④ $6 + 4 =$

⑤ $6 + 5 =$

⑥ $6 + 2 =$

⑦ $7 + 1 =$

⑧ $7 + 3 =$

⑨ $7 + 5 =$

⑩ $6 + 9 =$

⑪ $6 + 7 =$

⑫ $7 + 8 =$

⑬ $6 + 8 =$

⑭ $7 + 7 =$

⑮ $6 + 3 =$

⑯ $7 + 4 =$

연산 퍼즐

계산 결과가 올바른 칸을 색칠해 보세요.

7 + 5 = 12	4 + 5 = 8	3 + 4 = 7
7 + 6 = 13	2 + 4 = 5	9 + 2 = 11
6 + 4 = 10	9 + 7 = 16	4 + 8 = 12
3 + 9 = 13	1 + 8 = 10	3 + 6 = 9
5 + 8 = 12	4 + 4 = 7	1 + 7 = 8

9 + 6 = 15	8 + 2 = 10	7 + 5 = 12
2 + 7 = 8	6 + 5 = 10	6 + 2 = 8
7 + 7 = 14	9 + 4 = 13	4 + 7 = 11
6 + 8 = 13	5 + 9 = 16	1 + 6 = 7
3 + 7 = 10	6 + 6 = 12	8 + 7 = 15

합이 ☆ 안의 수가 되는 두 수를 모두 선으로 이어 보세요. 단, 선을 이을 수 없는 경우도 있습니다.

사다리를 따라 계산하여 빈칸에 알맞은 수를 써넣으세요.

①
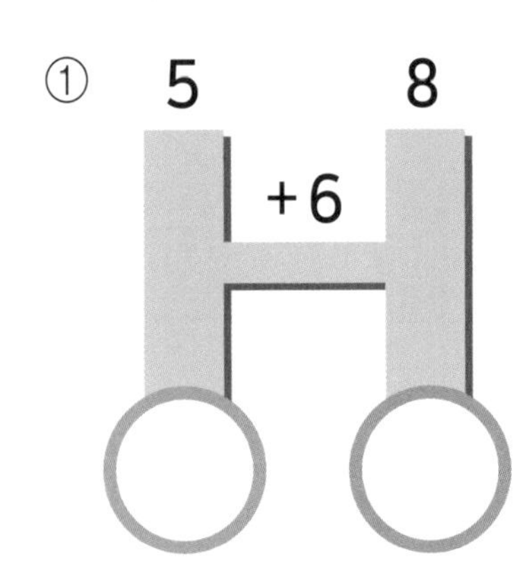

②
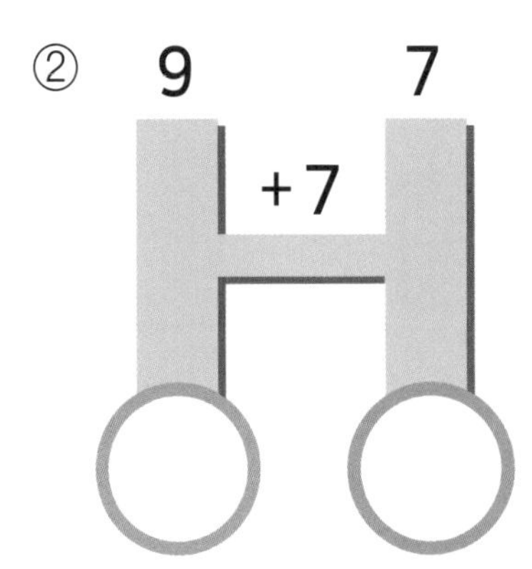

③
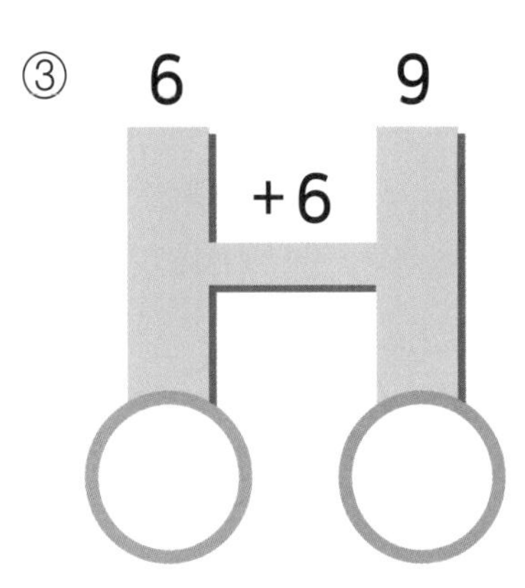

④
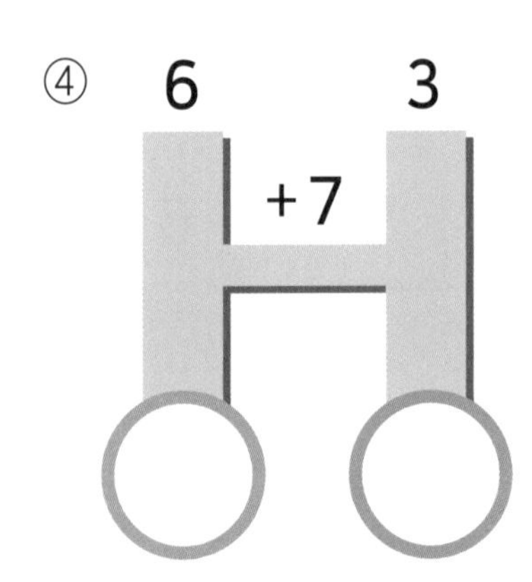

⑤
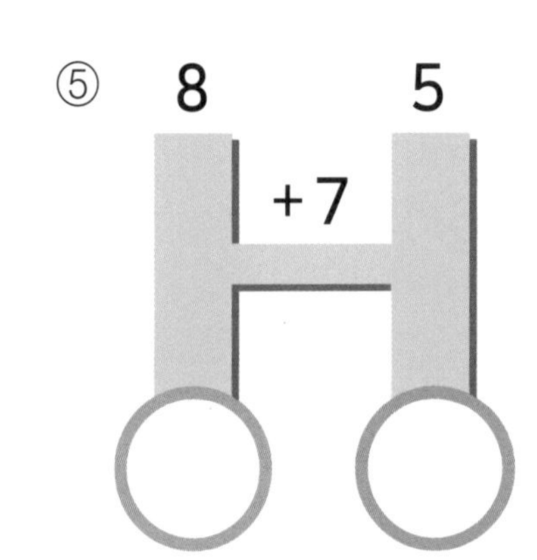

⑥
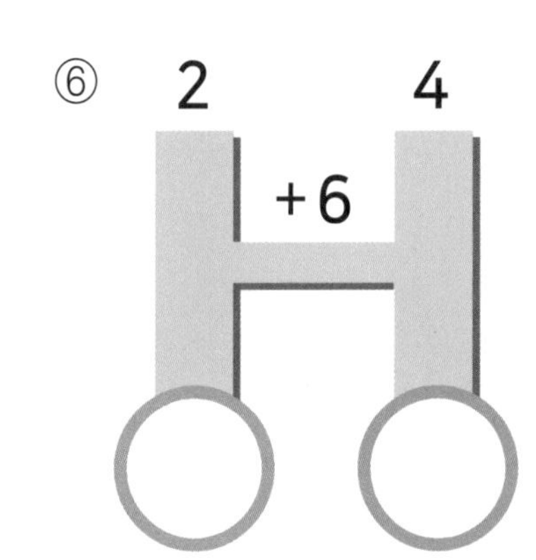

⑦
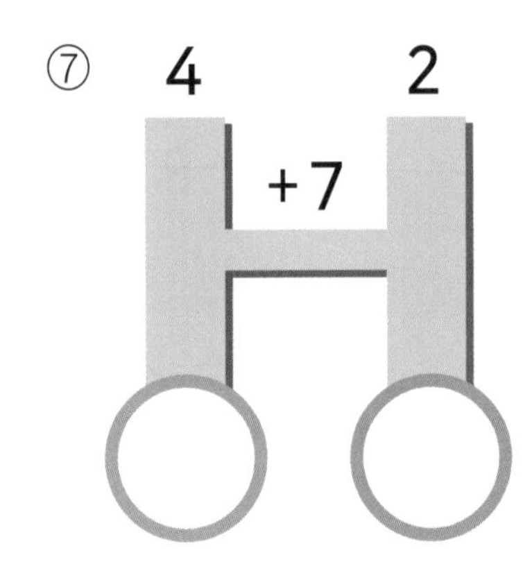

⑧
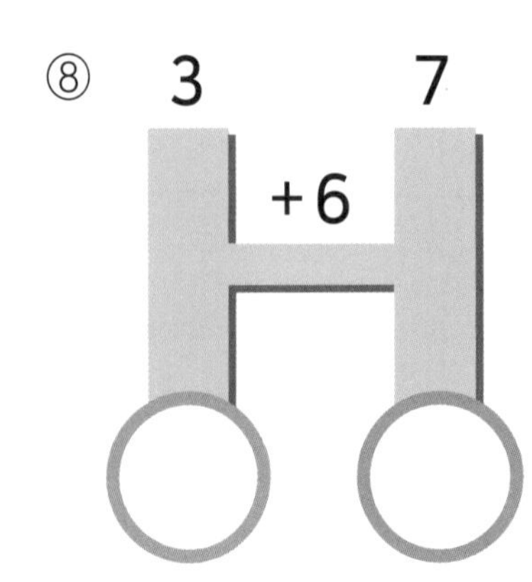

⑨
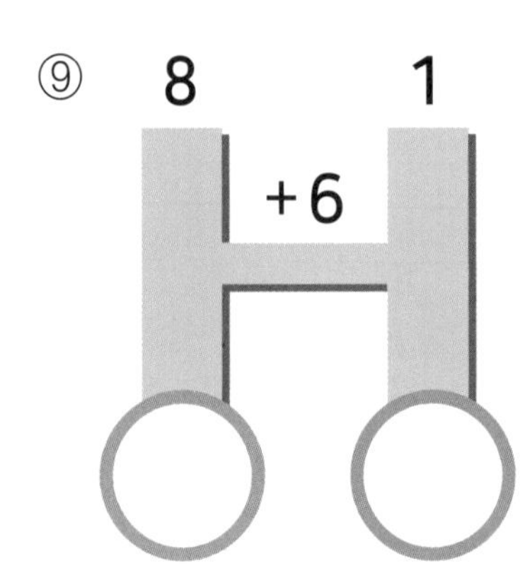

문장제

글과 그림을 보고 물음에 알맞은 식을 세우고 답을 구하세요.

마트에 전시된 한 어항 속에 빨간 물고기 6마리가 있고, 어항 바닥에는 돌이 7개 있습니다. 다른 어항에는 파란 물고기 7마리와 작은 거북이 3마리가 있고, 어항 바닥에는 돌이 6개 있습니다.

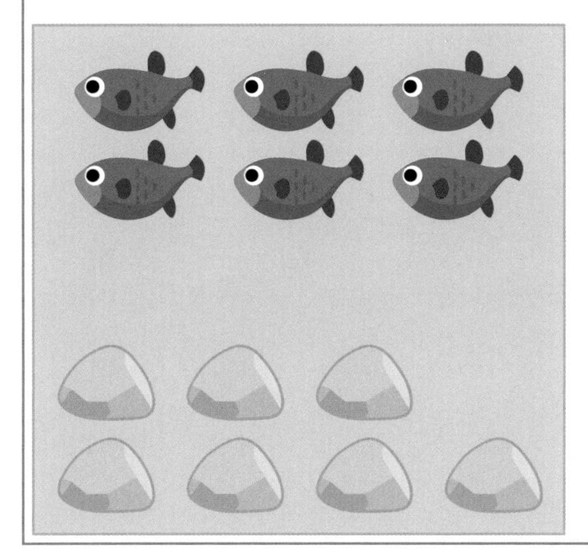

★ 두 어항에 있는 물고기는 모두 몇 마리일까요?

식 : 6 + 7 = 13 답 : 13 마리

① 파란 물고기가 있는 어항에는 움직이는 동물이 모두 몇 마리 있을까요?

식 : ______ 답 : ______ 마리

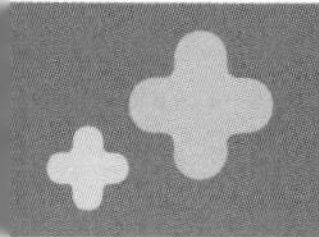

문제를 읽고 알맞은 식과 답을 써 보세요.

① 지안이는 오전에 귤을 6개 먹고, 오후에 귤을 9개 먹었습니다. 지안이가 하루 동안 먹은 귤은 몇 개일까요?

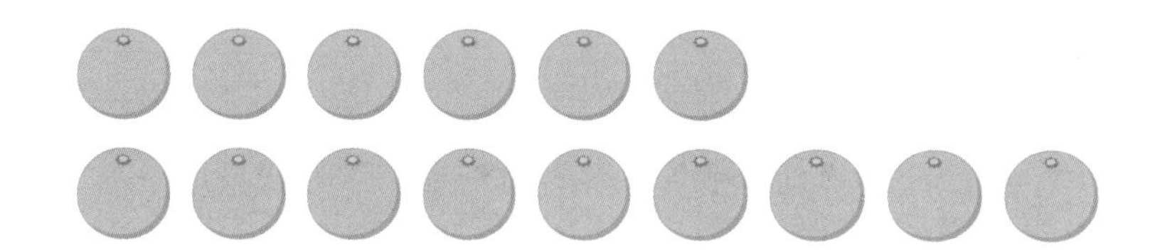

식 : ____________________ 답 : ______ 개

② 서랍에 노란색과 초록색 머리핀이 똑같이 6개씩 들어 있습니다. 서랍 속에 있는 머리핀은 몇 개일까요?

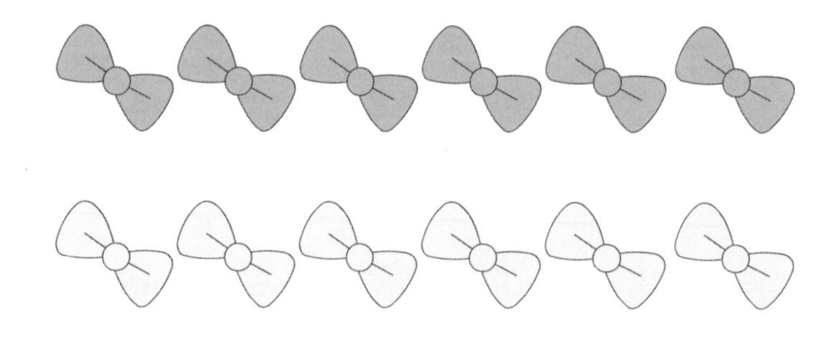

식 : ____________________ 답 : ______ 개

문제를 읽고 알맞은 식과 답을 써 보세요.

① 수현이가 어제와 오늘 각각 동화책을 7쪽씩 읽었으면, 이틀 동안 읽은 동화책은 몇 쪽 일까요?

식 : ______________________ 답 : ______ 쪽

② 받아쓰기 시험을 봤는데 7문제를 맞았고 1문제를 틀렸습니다. 받아쓰기는 몇 문제였을까요?

식 : ______________________ 답 : ______ 문제

③ 재영이는 놀이 공원에 있는 총 쏘기 놀이를 했습니다. 처음에는 7점, 두 번째에는 8점을 받았다면 재영이가 총 쏘기 놀이를 해서 얻은 점수는 모두 몇 점일까요?

식 : ______________________ 답 : ______ 점

문제를 읽고 알맞은 식과 답을 써 보세요.

① 점심 시간에 달걀을 2개 꺼내어 먹고, 냉장고를 확인하니 남은 달걀이 6개였습니다. 아침에 냉장고에 있던 달걀은 몇 개일까요?

식 : ______________________ 답 : ______ 개

② 원리초등학교 1학년 1반 여자 아이들 중 머리를 묶은 아이들을 세어 보니 6명이고, 머리를 묶지 않은 아이들이 5명이었습니다. 1학년 1반은 여학생이 몇 명일까요?

식 : ______________________ 답 : ______ 명

③ 마트에서 요구르트를 사 와서 형이 7개 먹고, 남은 5개를 동생이 먹었습니다. 처음에 사 온 요구르트는 몇 개일까요?

식 : ______________________ 답 : ______ 개

4주차

도전! 계산왕

1일 받아올림이 있는 한 자리 덧셈 58
2일 받아올림이 있는 한 자리 덧셈 60
3일 받아올림이 있는 한 자리 덧셈 62
4일 받아올림이 있는 한 자리 덧셈 64
5일 받아올림이 있는 한 자리 덧셈 66

받아올림이 있는 한 자리 덧셈

공부한 날	월 일
점수	/ 16

작은 수에서 큰 수로 수를 주어 10을 만들어 계산해 보세요.

① 5 + 7 = □

② 4 + 6 = □

③ 3 + 8 = □

④ 3 + 9 = □

⑤ 5 + 9 = □

⑥ 6 + 7 = □

⑦ 4 + 9 = □

⑧ 6 + 8 = □

⑨ 5 + 6 = □

⑩ 8 + 9 = □

⑪ 7 + 9 = □

⑫ 4 + 8 = □

⑬ 7 + 8 = □

⑭ 6 + 9 = □

⑮ 2 + 9 = □

⑯ 4 + 7 = □

받아올림이 있는 한 자리 덧셈

공부한 날	월 일
점 수	/ 24

계산해 보세요.

① $6+8=$ ② $2+9=$ ③ $9+4=$

④ $5+6=$ ⑤ $9+3=$ ⑥ $6+7=$

⑦ $8+7=$ ⑧ $9+2=$ ⑨ $8+5=$

⑩ $4+9=$ ⑪ $7+9=$ ⑫ $6+6=$

⑬ $4+8=$ ⑭ $7+6=$ ⑮ $6+9=$

⑯ $3+9=$ ⑰ $8+6=$ ⑱ $9+8=$

⑲ $5+9=$ ⑳ $4+7=$ ㉑ $5+8=$

㉒ $7+4=$ ㉓ $9+5=$ ㉔ $9+7=$

받아올림이 있는 한 자리 덧셈

공부한 날	월 일
점수	/16

작은 수에서 큰 수로 수를 주어 10을 만들어 계산해 보세요.

① $6 + 7 = \square$

② $4 + 9 = \square$

③ $7 + 9 = \square$

④ $7 + 8 = \square$

⑤ $2 + 9 = \square$

⑥ $4 + 7 = \square$

⑦ $6 + 9 = \square$

⑧ $6 + 8 = \square$

⑨ $8 + 9 = \square$

⑩ $5 + 9 = \square$

⑪ $5 + 7 = \square$

⑫ $3 + 9 = \square$

⑬ $3 + 8 = \square$

⑭ $3 + 7 = \square$

⑮ $5 + 8 = \square$

⑯ $5 + 6 = \square$

받아올림이 있는 한 자리 덧셈

공부한 날	월 일
점 수	/ 24

계산해 보세요.

① $7+8=$ ② $8+8=$ ③ $7+4=$

④ $7+7=$ ⑤ $9+9=$ ⑥ $8+4=$

⑦ $8+7=$ ⑧ $5+9=$ ⑨ $7+9=$

⑩ $6+6=$ ⑪ $9+6=$ ⑫ $8+6=$

⑬ $6+7=$ ⑭ $4+9=$ ⑮ $3+9=$

⑯ $4+7=$ ⑰ $6+9=$ ⑱ $2+9=$

⑲ $9+5=$ ⑳ $7+6=$ ㉑ $5+7=$

㉒ $7+5=$ ㉓ $4+8=$ ㉔ $6+8=$

받아올림이 있는 한 자리 덧셈

공부한 날	월 일
점 수	/ 16

작은 수에서 큰 수로 수를 주어 10을 만들어 계산해 보세요.

① 4 + 7 = ☐

② 5 + 6 = ☐

③ 7 + 8 = ☐

④ 6 + 8 = ☐

⑤ 4 + 9 = ☐

⑥ 3 + 7 = ☐

⑦ 7 + 9 = ☐

⑧ 6 + 9 = ☐

⑨ 5 + 8 = ☐

⑩ 2 + 8 = ☐

⑪ 5 + 9 = ☐

⑫ 3 + 9 = ☐

⑬ 6 + 7 = ☐

⑭ 3 + 8 = ☐

⑮ 2 + 9 = ☐

⑯ 4 + 8 = ☐

받아올림이 있는 한 자리 덧셈

공부한 날	월 일
점수	/ 24

계산해 보세요.

① $8+3=$ ② $5+6=$ ③ $9+5=$

④ $3+9=$ ⑤ $9+7=$ ⑥ $8+6=$

⑦ $5+7=$ ⑧ $9+3=$ ⑨ $9+8=$

⑩ $7+4=$ ⑪ $7+7=$ ⑫ $6+6=$

⑬ $8+8=$ ⑭ $9+4=$ ⑮ $5+8=$

⑯ $8+5=$ ⑰ $6+8=$ ⑱ $8+4=$

⑲ $7+9=$ ⑳ $6+7=$ ㉑ $4+8=$

㉒ $8+7=$ ㉓ $2+9=$ ㉔ $9+6=$

받아올림이 있는 한 자리 덧셈

공부한 날	월 일
점 수	/ 16

작은 수에서 큰 수로 수를 주어 10을 만들어 계산해 보세요.

① $9 + 3 = \square$

② $8 + 5 = \square$

③ $9 + 2 = \square$

④ $8 + 2 = \square$

⑤ $8 + 6 = \square$

⑥ $9 + 7 = \square$

⑦ $8 + 3 = \square$

⑧ $8 + 7 = \square$

⑨ $6 + 5 = \square$

⑩ $7 + 5 = \square$

⑪ $7 + 4 = \square$

⑫ $9 + 6 = \square$

⑬ $9 + 8 = \square$

⑭ $8 + 4 = \square$

⑮ $7 + 6 = \square$

⑯ $9 + 5 = \square$

받아올림이 있는 한 자리 덧셈

공부한 날	월 일
점수	/ 24

계산해 보세요.

① $5+8=$　② $8+6=$　③ $7+5=$

④ $9+5=$　⑤ $7+7=$　⑥ $5+7=$

⑦ $9+6=$　⑧ $8+8=$　⑨ $6+5=$

⑩ $5+9=$　⑪ $8+4=$　⑫ $8+7=$

⑬ $8+9=$　⑭ $7+9=$　⑮ $9+3=$

⑯ $4+7=$　⑰ $9+9=$　⑱ $8+5=$

⑲ $2+9=$　⑳ $9+7=$　㉑ $9+4=$

㉒ $7+4=$　㉓ $5+6=$　㉔ $4+9=$

받아올림이 있는 한 자리 덧셈

공부한 날	월 일
점수	/ 16

작은 수에서 큰 수로 수를 주어 10을 만들어 계산해 보세요.

① 8 + 2 = □

② 7 + 6 = □

③ 6 + 5 = □

④ 9 + 4 = □

⑤ 9 + 7 = □

⑥ 9 + 6 = □

⑦ 8 + 3 = □

⑧ 8 + 5 = □

⑨ 9 + 8 = □

⑩ 8 + 4 = □

⑪ 7 + 4 = □

⑫ 9 + 3 = □

⑬ 9 + 5 = □

⑭ 6 + 4 = □

⑮ 7 + 5 = □

⑯ 9 + 2 = □

받아올림이 있는 한 자리 덧셈

공부한 날	월 일
점수	/ 24

계산해 보세요.

① $7+7=$

② $7+8=$

③ $9+6=$

④ $8+7=$

⑤ $3+8=$

⑥ $5+7=$

⑦ $5+8=$

⑧ $9+3=$

⑨ $6+9=$

⑩ $6+6=$

⑪ $8+9=$

⑫ $8+8=$

⑬ $6+5=$

⑭ $6+7=$

⑮ $7+6=$

⑯ $9+7=$

⑰ $8+4=$

⑱ $8+6=$

⑲ $7+4=$

⑳ $9+4=$

㉑ $8+3=$

㉒ $6+8=$

㉓ $9+8=$

㉔ $9+9=$

MEMO

5주차

더하기 5

1일 5의 단 70
2일 5+5=10 73
3일 수 막대와 수직선 76
4일 연산 퍼즐 79
5일 문장제 81

5는 특별한 수입니다. 5보다 작은 수와 덧셈을 할 때는 받아올림이 생기지 않고, 5+5는 10입니다. 5의 단 덧셈에서 5+5가 10이라는 것을 이용하여 5+7은 10보다 2 큰 수인 12가 된다는 것을 손가락 이미지와 함께 공부합니다.

5의 단

□에 알맞은 수를 써넣으세요.

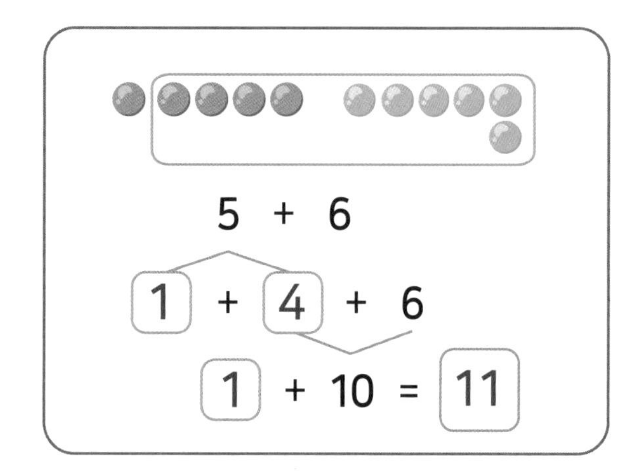

① 5 + 7

□ + □ + 7

□ + 10 = □

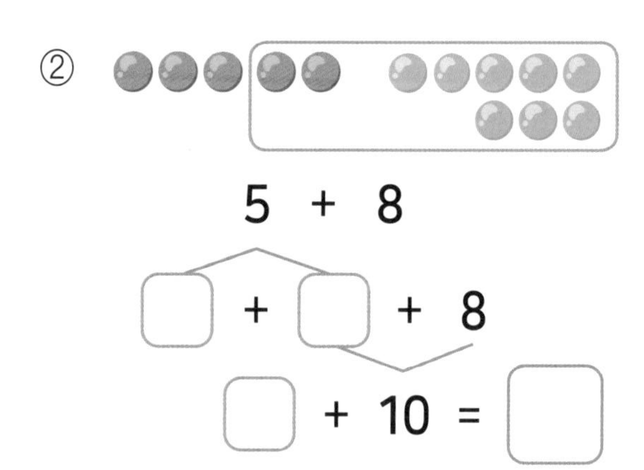

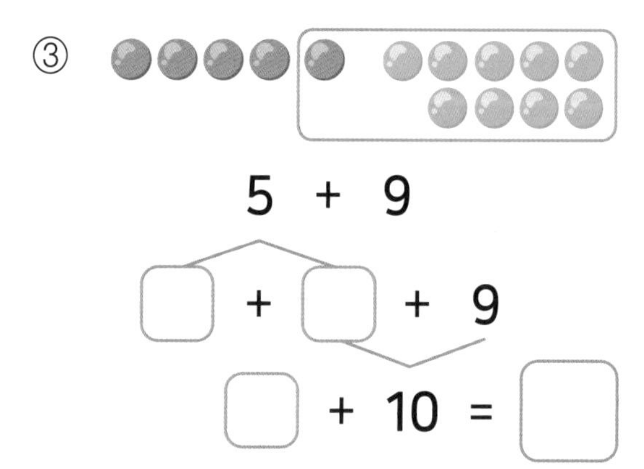

작은 수에서 큰 수로 수를 주어 10을 만들어 계산하세요.

① 5 + 6 = □

② 5 + 8 = □

③ 5 + 7 = □

④ 5 + 9 = □

5의 단 덧셈을 해 보세요.

① 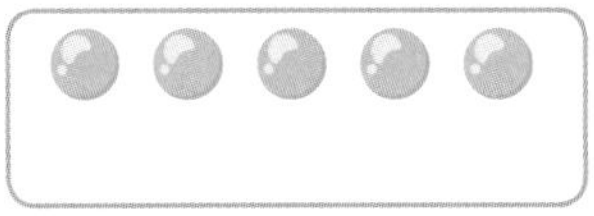 $5 + 0 =$ ☐

② 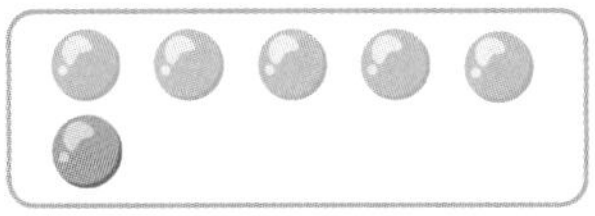 $5 + 1 =$ ☐

③ 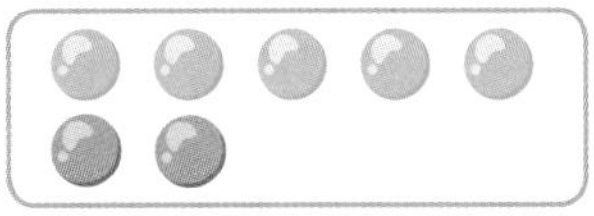 $5 + 2 =$ ☐

④ 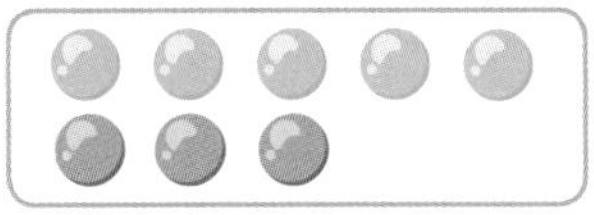 $5 + 3 =$ ☐

⑤ 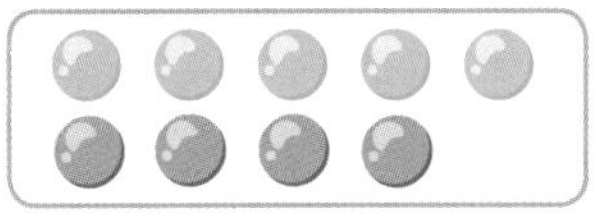 $5 + 4 =$ ☐

⑥ 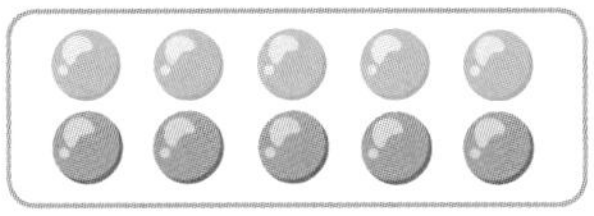 $5 + 5 =$ ☐

⑦ 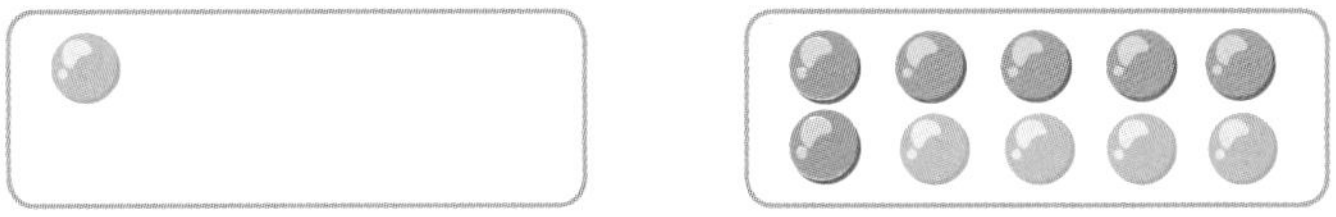 $5 + 6 =$ ☐

⑧ 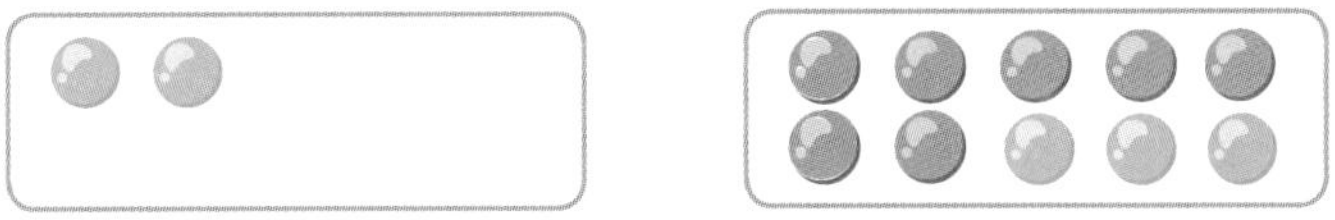 $5 + 7 =$ ☐

⑨ 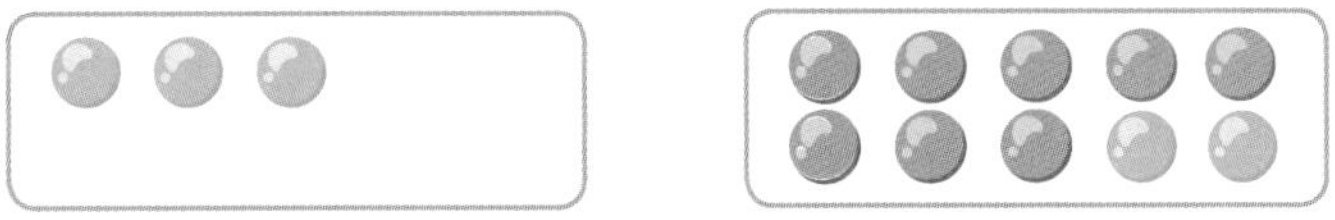 $5 + 8 =$ ☐

⑩ 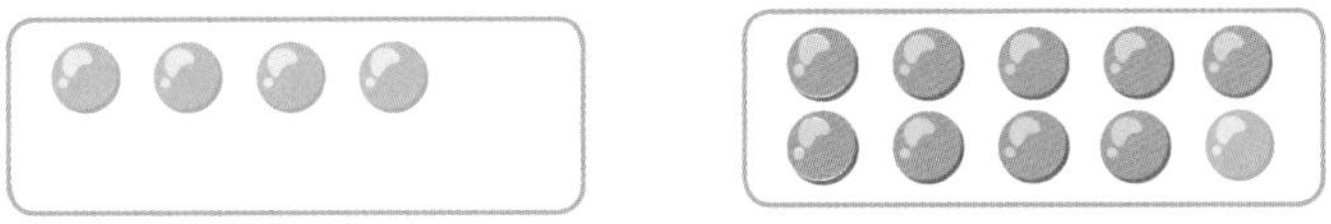 $5 + 9 =$ ☐

계산해 보세요.

① $5+7=$

② $5+5=$

③ $5+0=$

④ $5+1=$

⑤ $5+4=$

⑥ $5+6=$

⑦ $5+3=$

⑧ $5+8=$

⑨ $5+9=$

⑩ $5+2=$

⑪ $5+7=$

⑫ $5+6=$

⑬ $5+8=$

⑭ $5+4=$

⑮ $5+5=$

⑯ $5+9=$

5+5=10

5+5=10이라는 것을 이용하여 두 수를 5와 어떤 수로 갈라서 더할 수도 있습니다.
□에 알맞은 수를 써넣으세요.

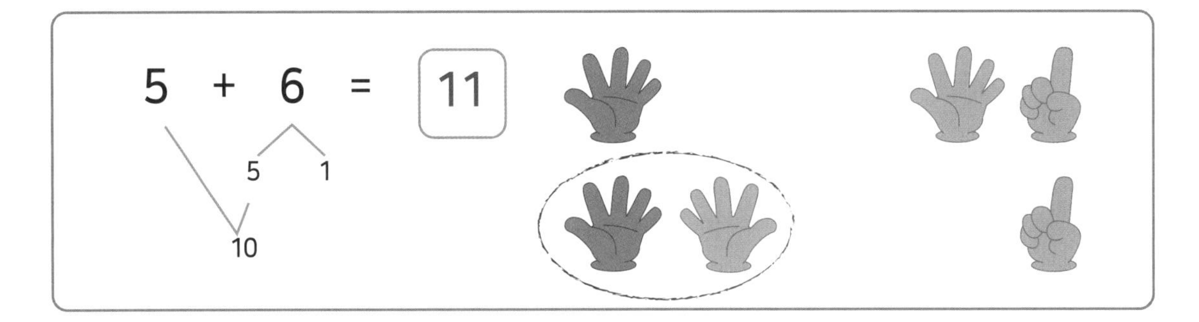

①

5 + 7 = □

□ □

10

② 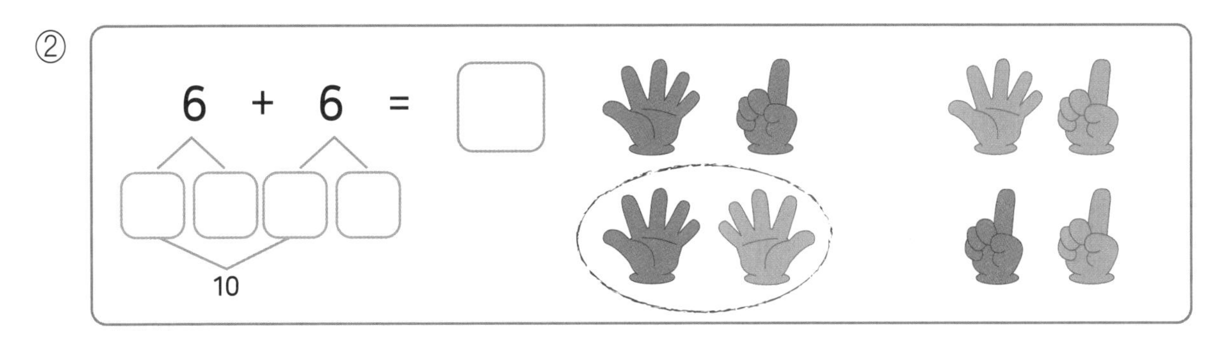

③ 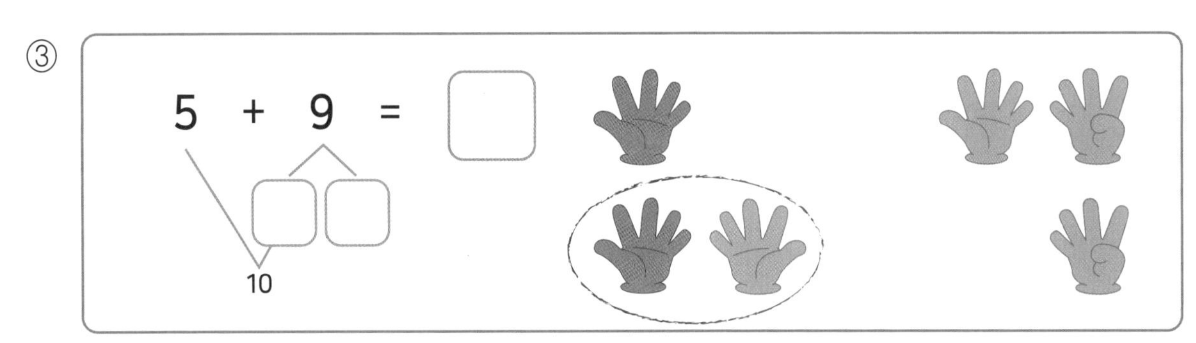

□에 알맞은 수를 써넣으세요.

6 + 7 = 13
5 1 5 2
10

① 7 + 7 = □
□ □ □ □
10

② 6 + 6 = □
□ □ □ □
10

③ 7 + 6 = □
□ □ □ □
10

④ 5 + 7 = □
□ □
10

⑤ 5 + 6 = □
□ □
10

⑥ 5 + 9 = □
□ □
10

⑦ 5 + 8 = □
□ □
10

계산 결과가 같은 것을 선으로 이어 보세요.

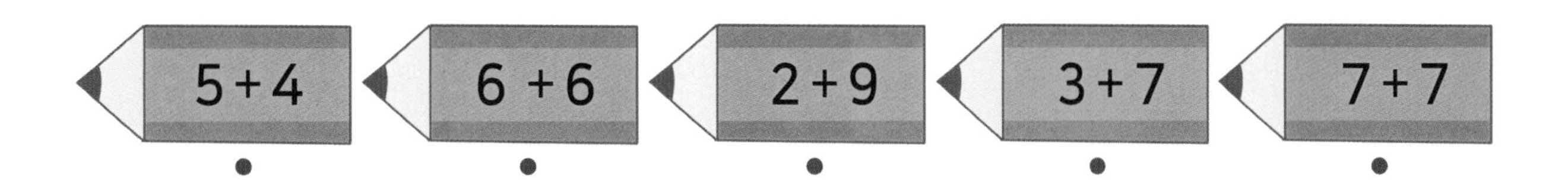

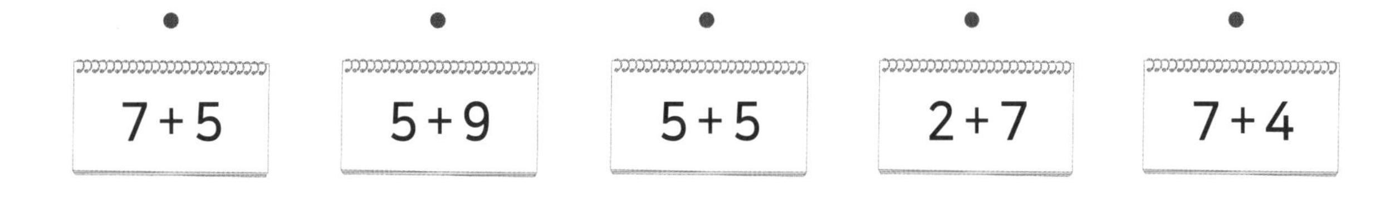

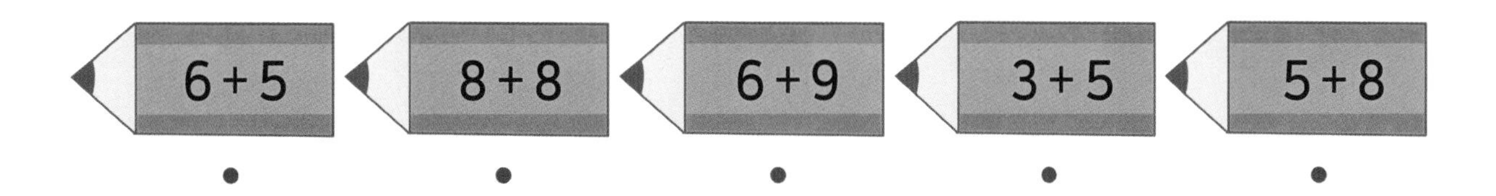

4+4　　8+7　　7+6　　3+8　　9+7

수 막대와 수직선

수 막대를 붙여 놓았습니다. □에 막대의 길이를 써넣으세요.

①

②
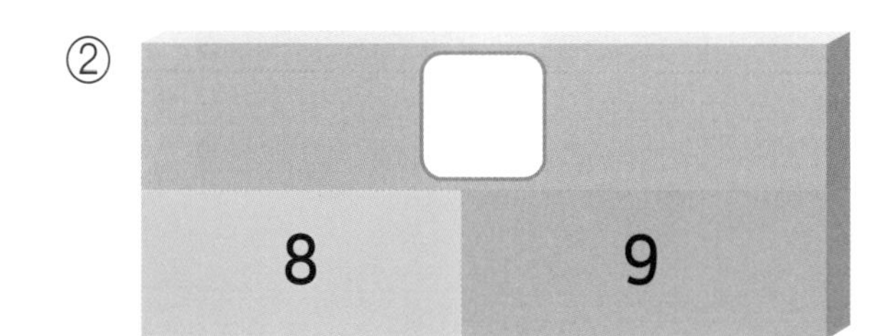

③
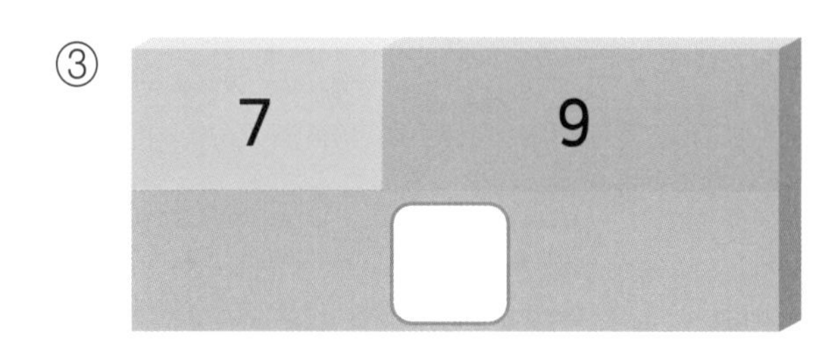

④
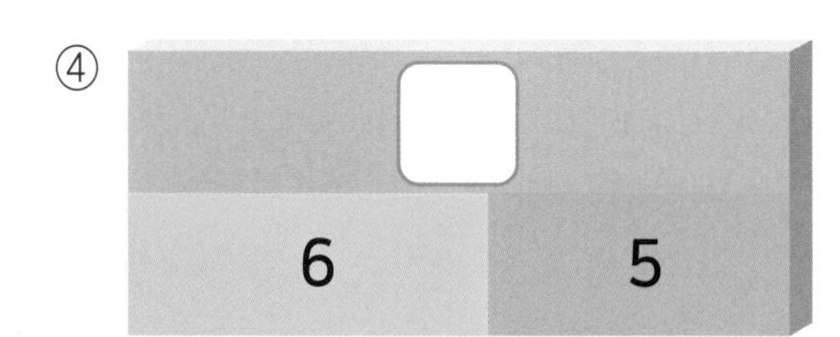

⑤
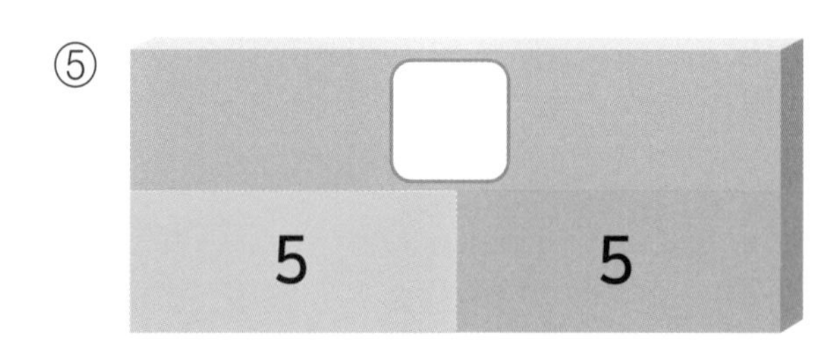

⑥
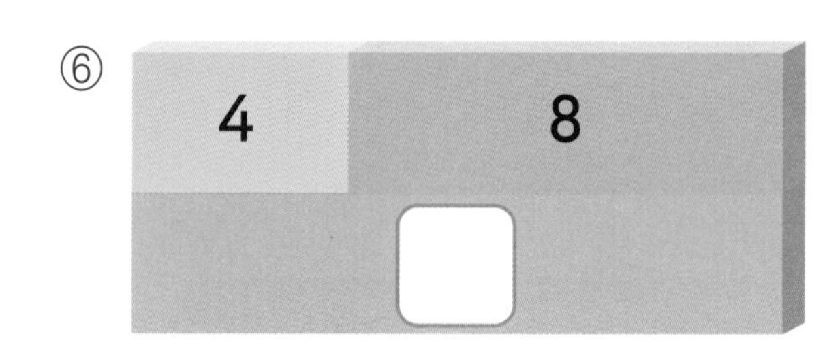

⑦ □
9 5

⑧ 6 6
□

⑨ □
7 7

⑩
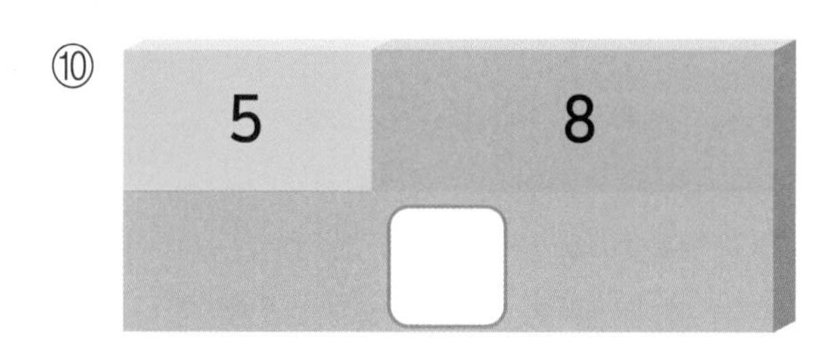

덧셈을 수직선으로 나타내었습니다. 수직선이 나타내는 식을 써 보세요.

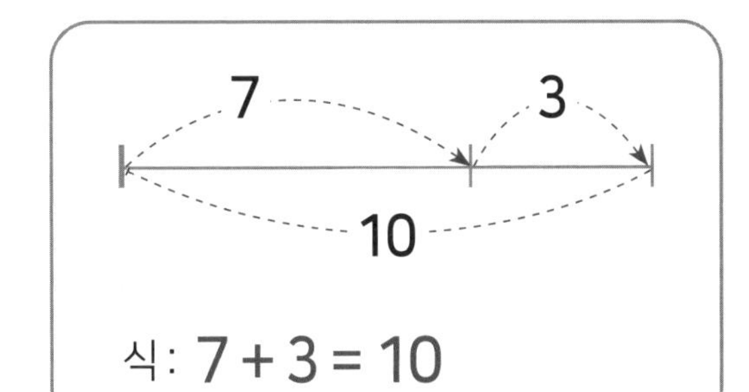

식: $7 + 3 = 10$

① 6 6

12

식: __________

② 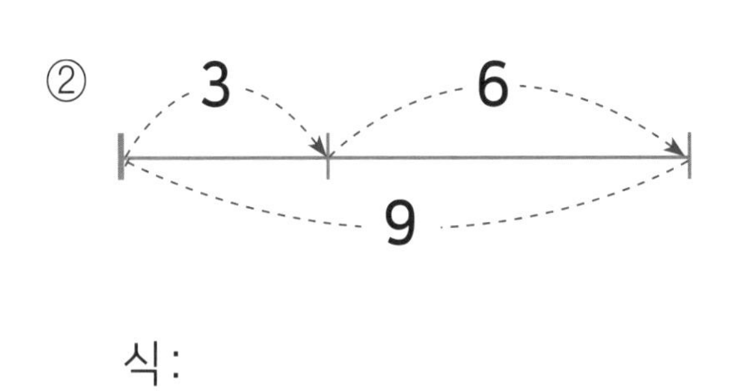

식: __________

③ 6 5

11

식: __________

④ 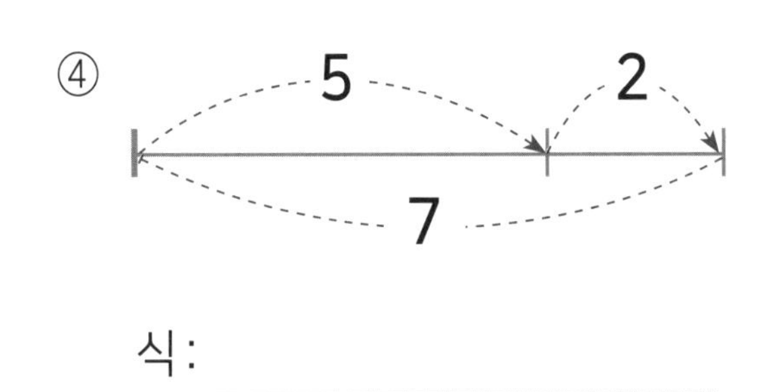

식: __________

⑤ 7 4

11

식: __________

⑥ 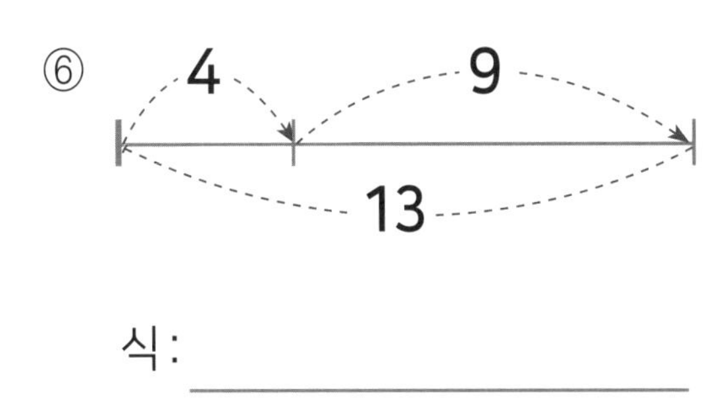

식: __________

⑦ 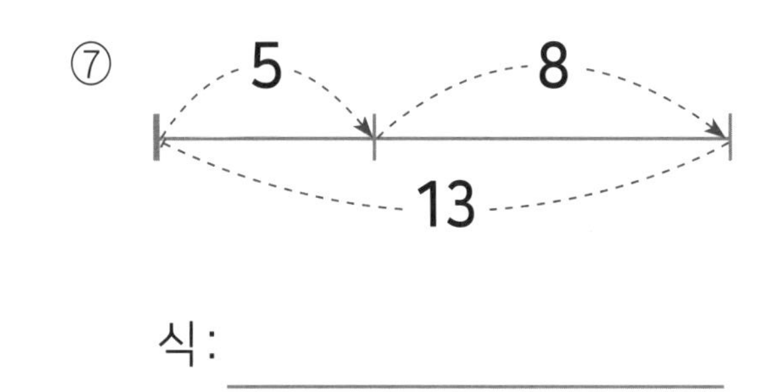

식: __________

덧셈을 수직선으로 나타내었습니다. □에 알맞은 수를 써넣으세요.

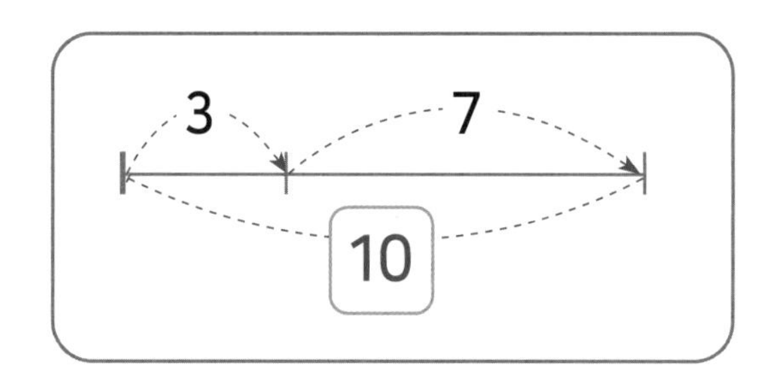

①
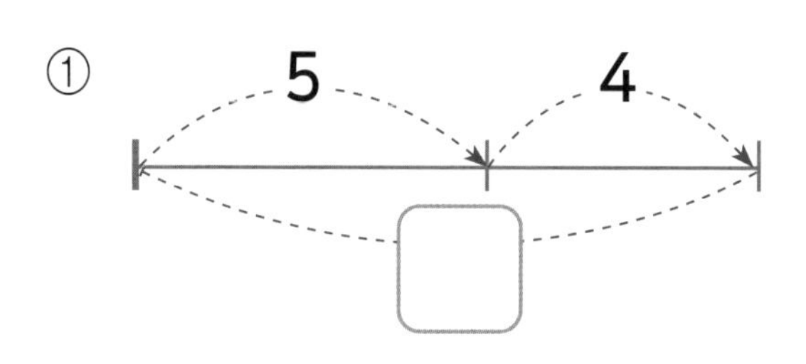

②
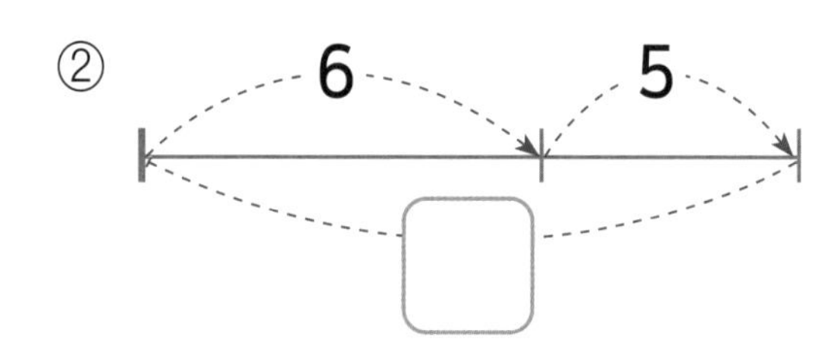

③
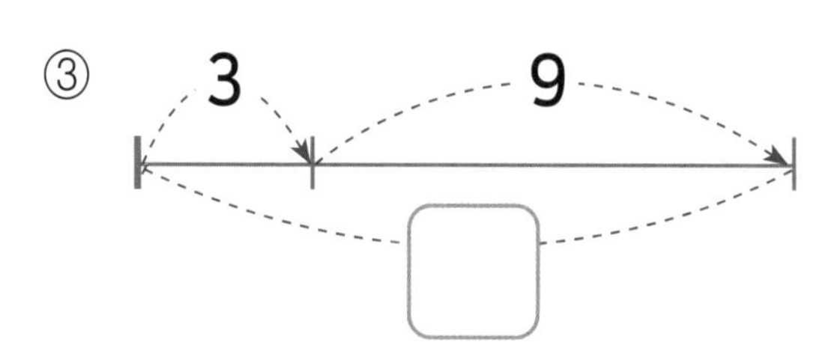

④
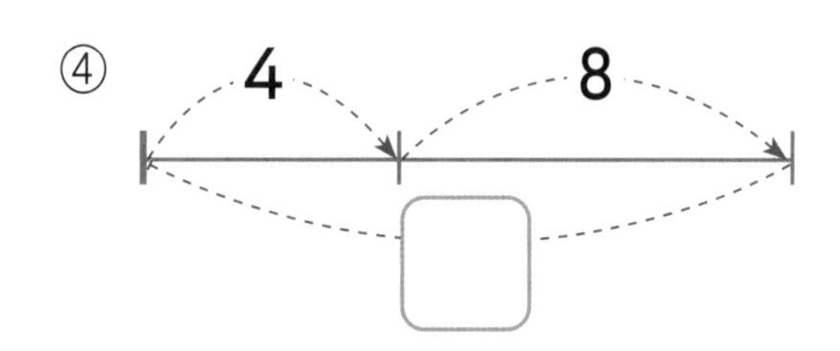

⑤
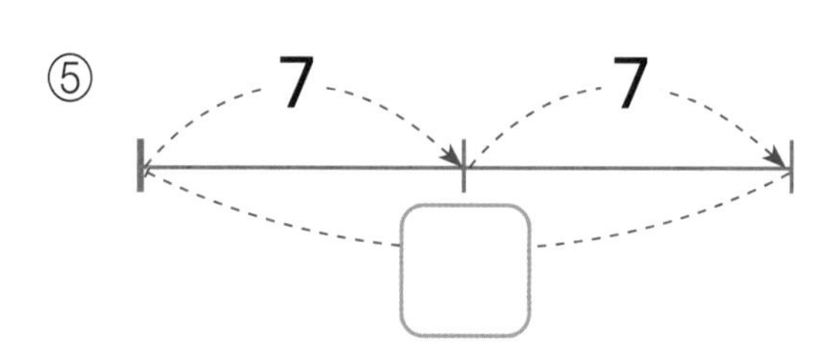

⑥
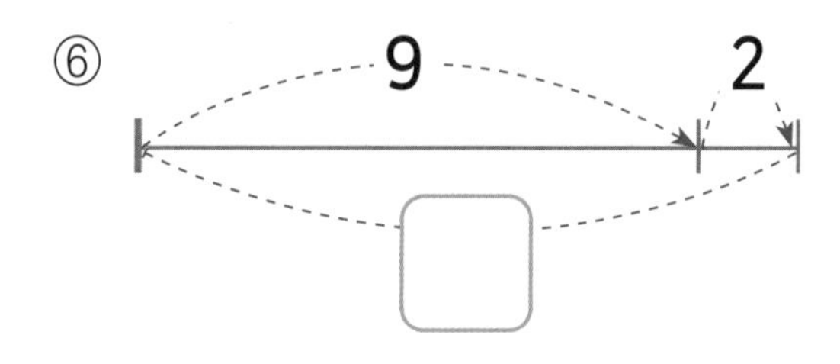

⑦
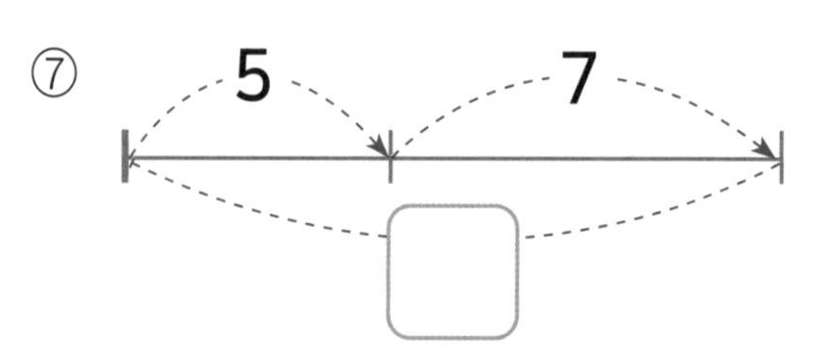

연산 퍼즐

물컵에 물을 부었습니다. □에 물의 양을 써넣으세요.

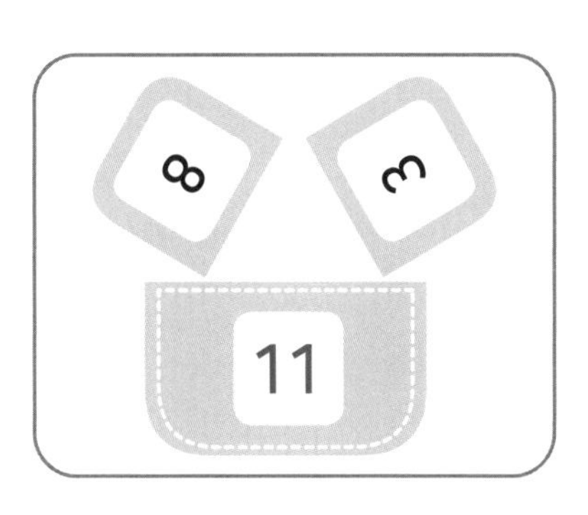

①

② 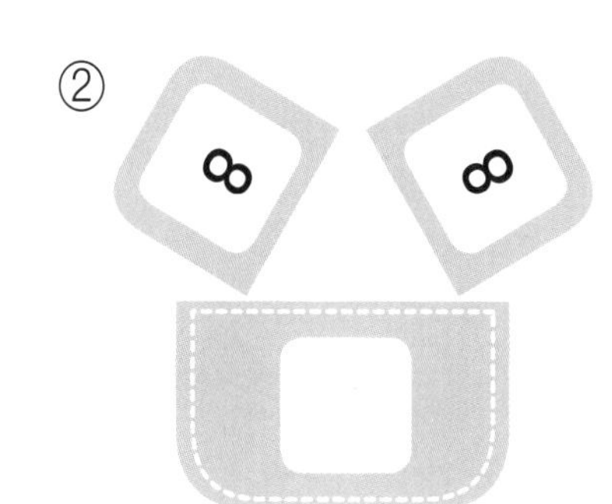

③ 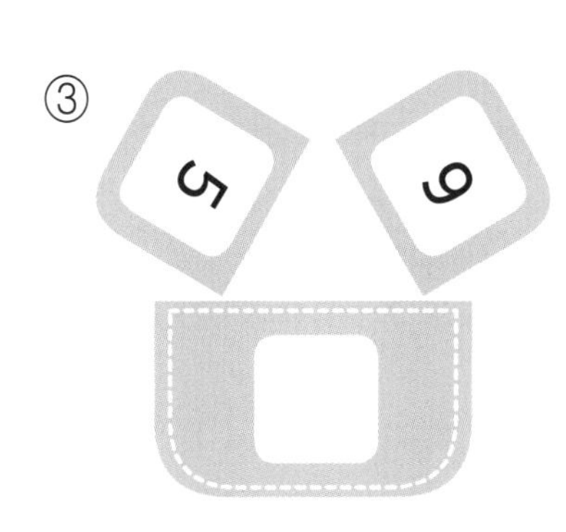

④ 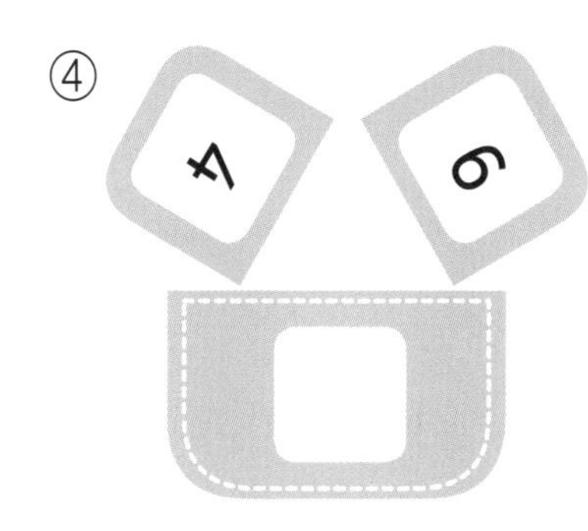

⑤ 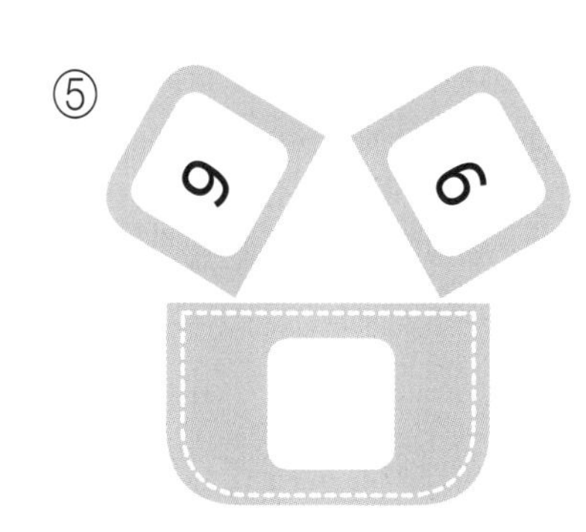

⑥ 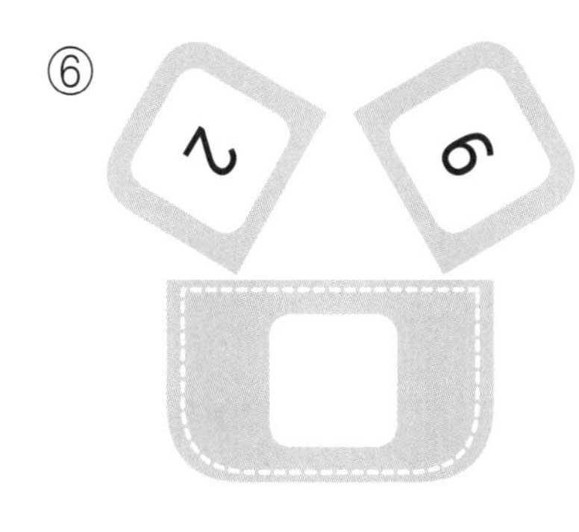

⑦ 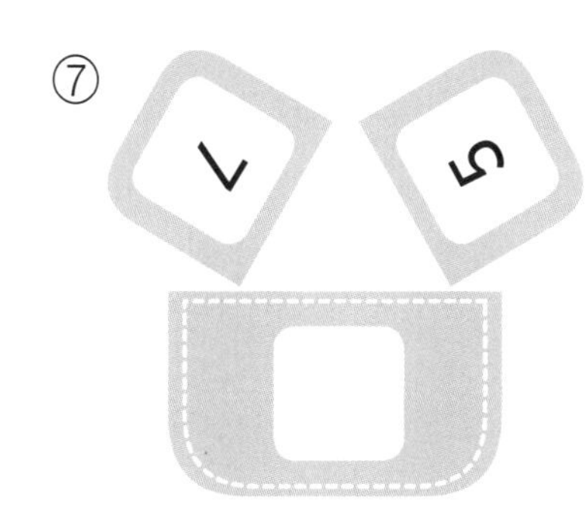

⑧ 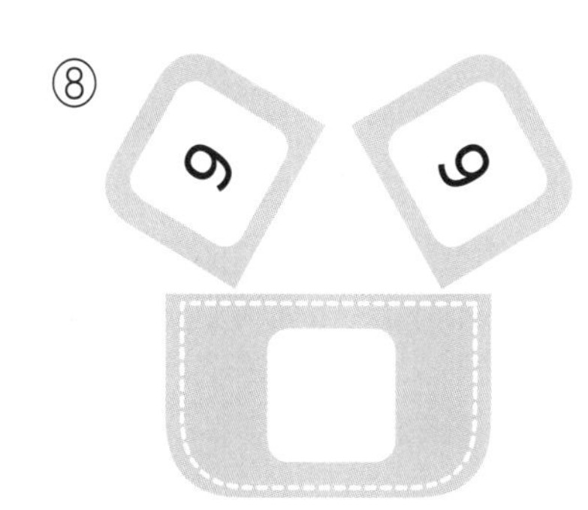

⑨ 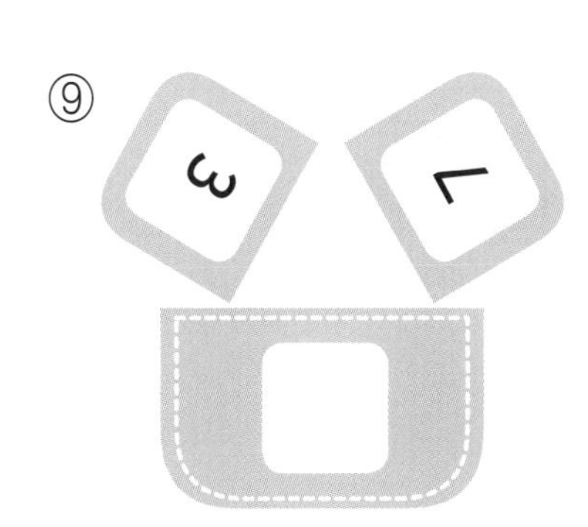

⑩ 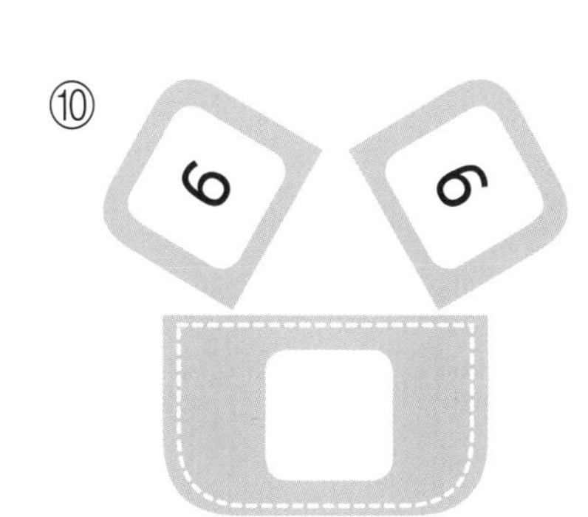

⑪ 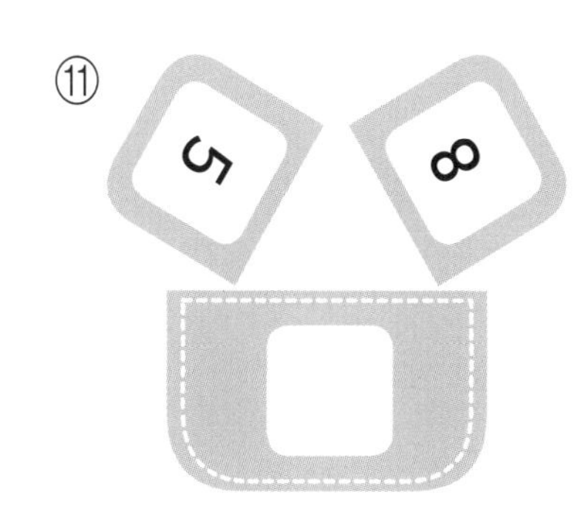

추를 올린 양팔저울이 균형을 이루었습니다. □에 추의 무게를 써넣으세요.

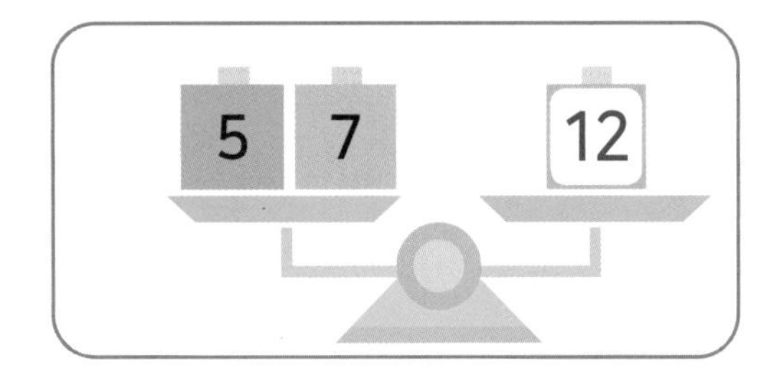

①
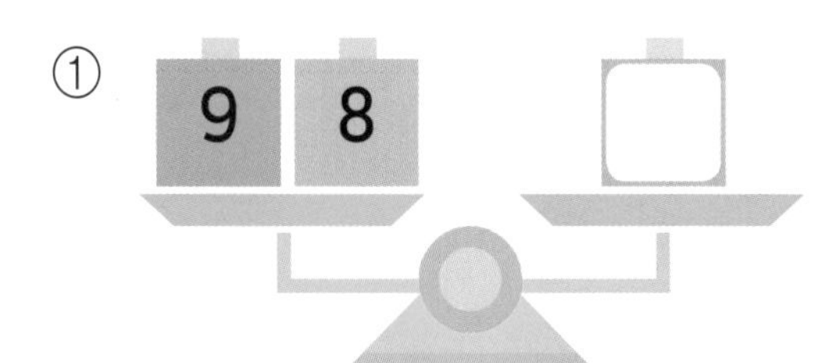

②
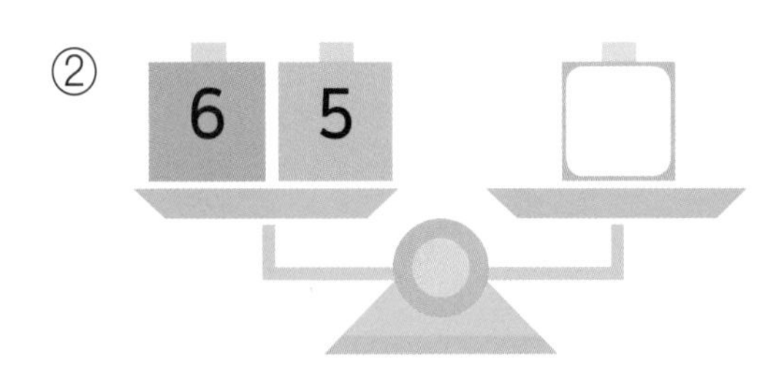

③
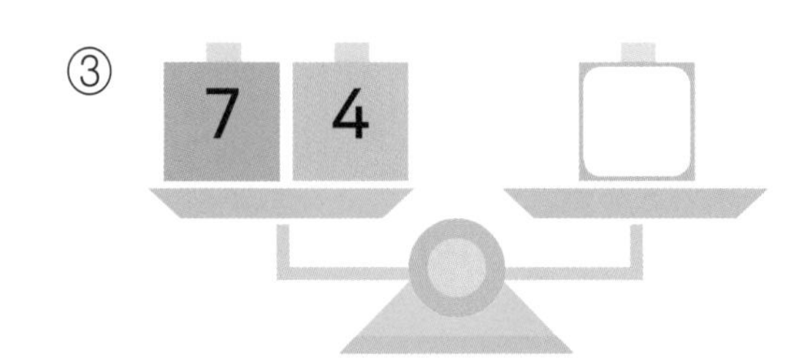

④
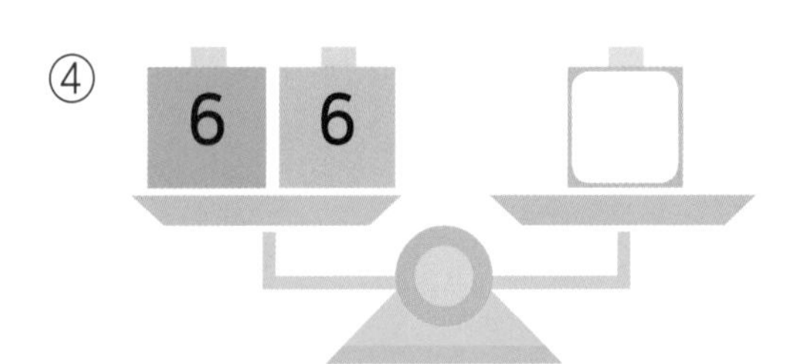

⑤
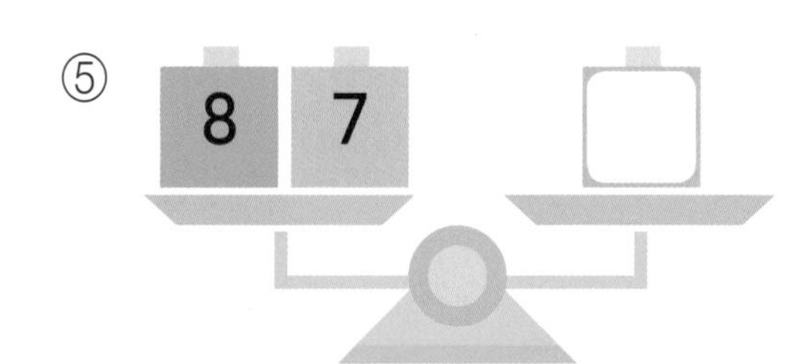

⑥
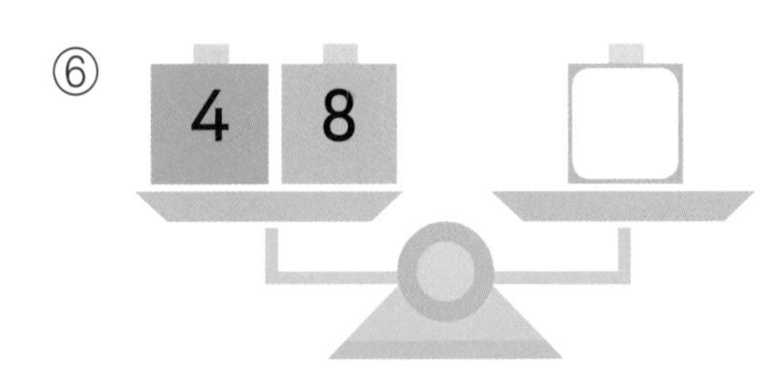

⑦
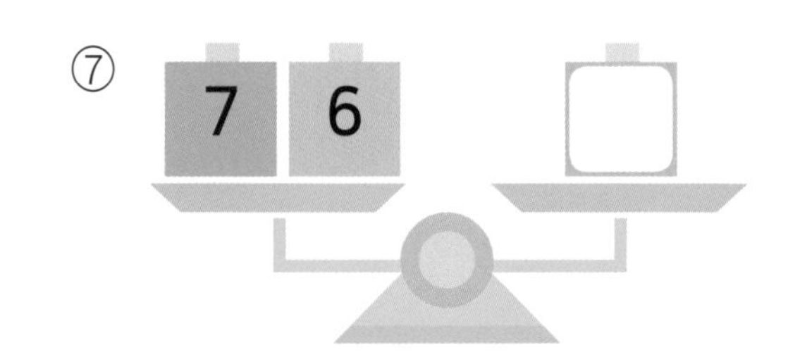

⑧
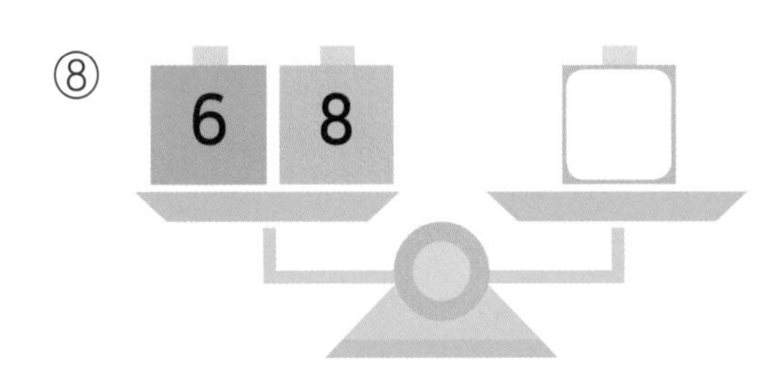

⑨
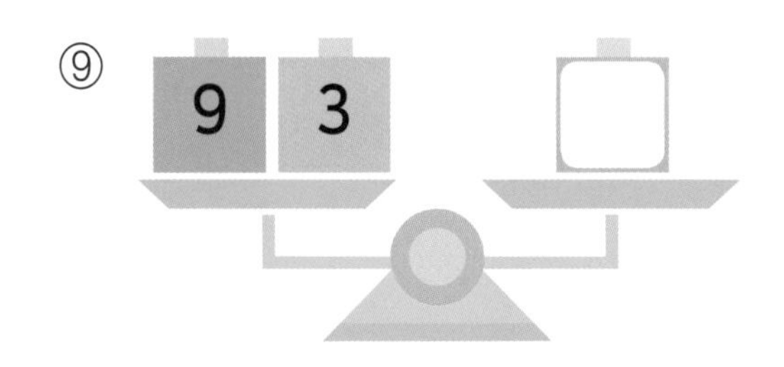

문장제

글과 그림을 보고 물음에 알맞은 식을 세우고 답을 구하세요.

책상 위에 연필이 5자루, 지우개가 9개, 풀이 7개 있습니다.

★ 연필과 지우개의 개수를 합하면 모두 몇 개일까요?

식 : 5 + 9 = 14 답 : 14 개

① 지우개와 풀의 개수를 합하면 몇 개일까요?

식 : 답 : 개

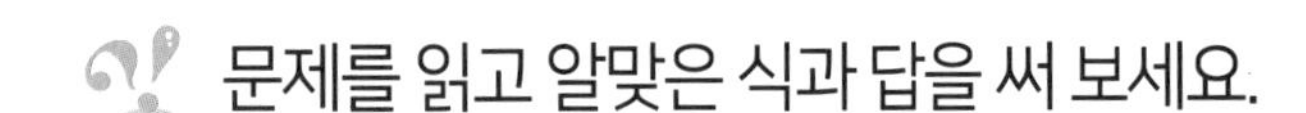

문제를 읽고 알맞은 식과 답을 써 보세요.

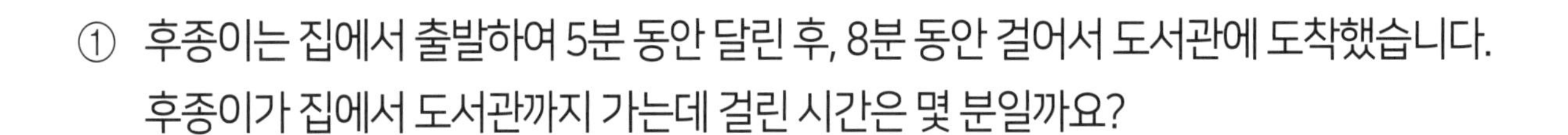

① 후종이는 집에서 출발하여 5분 동안 달린 후, 8분 동안 걸어서 도서관에 도착했습니다.
후종이가 집에서 도서관까지 가는데 걸린 시간은 몇 분일까요?

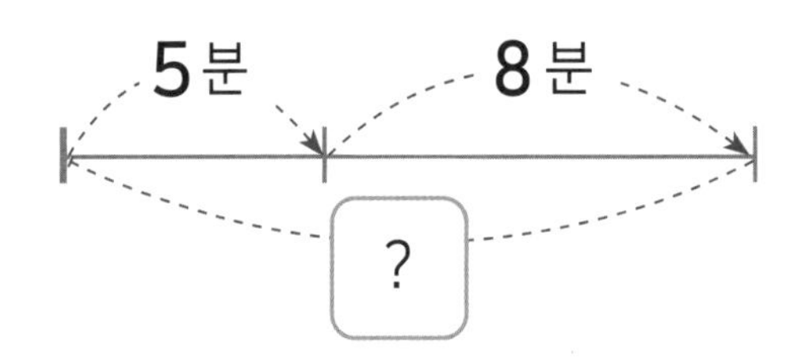

식 : ______________________ 답 : ______ 분

② 재현이가 사과 주스 6컵과 오렌지 주스 5컵을 섞어서 새로운 맛의 주스를 만들었습니다.
새로 만든 주스는 모두 몇 컵일까요?

식 : ______________________ 답 : ______ 컵

문제를 읽고 알맞은 식과 답을 써 보세요.

① 수빈이는 3월 달에 5권의 책을 읽고, 4월 달에 9권의 책을 읽었습니다. 수빈이가 3월, 4월 2달 동안 읽은 책은 몇 권일까요?

식 : ______________________ 답 : ______ 권

② 학교 운동장에서 남학생 5명과 여학생 7명이 공을 차고 있습니다. 운동장에서 공을 차는 학생은 모두 몇 명일까요?

식 : ______________________ 답 : ______ 명

③ 소영이는 지금 8살입니다. 5년 후에 소영이는 몇 살이 될까요?

식 : ______________________ 답 : ______ 살

문제를 읽고 알맞은 식과 답을 써 보세요.

① 100원짜리 동전 5개를 넣어야 음료수가 나오는 자판기가 있습니다. 형과 동생이 음료수를 한 개씩 먹으려면 자판기에 100원짜리 동전 몇 개를 넣어야 할까요?

식 : ____________________ 답 : ______ 개

② 훈규네 집은 고양이를 5마리, 강아지를 4마리 키웁니다. 훈규네 집이 키우는 고양이와 강아지는 모두 몇 마리일까요?

식 : ____________________ 답 : ______ 마리

③ 훈규는 고양이를 5마리 키우고 있었는데 한 마리가 새끼 고양이 6마리를 낳았습니다. 훈규네 집에 있는 고양이는 몇 마리가 되었나요?

식 : ____________________ 답 : ______ 마리

6주차

도전! 계산왕

1일 받아올림이 있는 한 자리 덧셈 86
2일 받아올림이 있는 한 자리 덧셈 88
3일 받아올림이 있는 한 자리 덧셈 90
4일 받아올림이 있는 한 자리 덧셈 92
5일 받아올림이 있는 한 자리 덧셈 94

받아올림이 있는 한 자리 덧셈

공부한 날	월 일
점 수	/ 24

계산해 보세요.

① $5+6=$ ② $6+6=$ ③ $4+7=$

④ $3+9=$ ⑤ $5+8=$ ⑥ $8+7=$

⑦ $4+9=$ ⑧ $9+7=$ ⑨ $6+8=$

⑩ $5+7=$ ⑪ $8+9=$ ⑫ $9+3=$

⑬ $7+4=$ ⑭ $3+8=$ ⑮ $8+5=$

⑯ $8+3=$ ⑰ $8+8=$ ⑱ $8+6=$

⑲ $5+9=$ ⑳ $6+5=$ ㉑ $7+9=$

㉒ $9+5=$ ㉓ $6+9=$ ㉔ $7+8=$

받아올림이 있는 한 자리 덧셈

공부한 날	월 일
점수	/ 24

계산해 보세요.

① $8 + 8 =$

② $3 + 9 =$

③ $9 + 6 =$

④ $7 + 6 =$

⑤ $9 + 3 =$

⑥ $4 + 7 =$

⑦ $8 + 9 =$

⑧ $9 + 2 =$

⑨ $8 + 4 =$

⑩ $6 + 9 =$

⑪ $8 + 7 =$

⑫ $5 + 6 =$

⑬ $4 + 8 =$

⑭ $7 + 7 =$

⑮ $5 + 9 =$

⑯ $6 + 6 =$

⑰ $8 + 6 =$

⑱ $8 + 3 =$

⑲ $5 + 7 =$

⑳ $4 + 9 =$

㉑ $5 + 8 =$

㉒ $7 + 3 =$

㉓ $9 + 5 =$

㉔ $9 + 9 =$

받아올림이 있는 한 자리 덧셈

공부한 날	월 일
점 수	/ 24

계산해 보세요.

① $3+8=$ ② $7+7=$ ③ $8+6=$

④ $8+3=$ ⑤ $5+8=$ ⑥ $4+7=$

⑦ $9+3=$ ⑧ $2+9=$ ⑨ $5+9=$

⑩ $7+9=$ ⑪ $6+5=$ ⑫ $9+9=$

⑬ $4+8=$ ⑭ $7+4=$ ⑮ $7+8=$

⑯ $8+5=$ ⑰ $9+4=$ ⑱ $9+7=$

⑲ $7+6=$ ⑳ $6+7=$ ㉑ $6+6=$

㉒ $9+8=$ ㉓ $6+8=$ ㉔ $3+9=$

받아올림이 있는 한 자리 덧셈

공부한 날	월 일
점 수	/ 24

계산해 보세요.

① $7+9=$ ② $9+8=$ ③ $7+6=$

④ $7+5=$ ⑤ $9+3=$ ⑥ $8+4=$

⑦ $8+7=$ ⑧ $6+6=$ ⑨ $7+8=$

⑩ $6+5=$ ⑪ $9+6=$ ⑫ $5+6=$

⑬ $9+5=$ ⑭ $5+5=$ ⑮ $2+9=$

⑯ $5+7=$ ⑰ $6+7=$ ⑱ $8+9=$

⑲ $8+5=$ ⑳ $8+6=$ ㉑ $5+8=$

㉒ $4+6=$ ㉓ $4+9=$ ㉔ $6+8=$

받아올림이 있는 한 자리 덧셈

공부한 날	월 일
점 수	/ 24

계산해 보세요.

① $7+6=$	② $9+6=$	③ $9+8=$
④ $6+9=$	⑤ $8+8=$	⑥ $4+8=$
⑦ $2+9=$	⑧ $4+7=$	⑨ $8+6=$
⑩ $9+3=$	⑪ $7+5=$	⑫ $6+5=$
⑬ $8+5=$	⑭ $3+9=$	⑮ $9+7=$
⑯ $8+3=$	⑰ $5+7=$	⑱ $6+8=$
⑲ $8+9=$	⑳ $4+9=$	㉑ $9+5=$
㉒ $5+6=$	㉓ $6+7=$	㉔ $3+8=$

3일 ❷

받아올림이 있는 한 자리 덧셈

공부한 날	월 일
점 수	/ 24

계산해 보세요.

① $9+9=$ ② $7+6=$ ③ $9+5=$

④ $3+9=$ ⑤ $9+7=$ ⑥ $2+9=$

⑦ $3+8=$ ⑧ $9+3=$ ⑨ $9+8=$

⑩ $7+9=$ ⑪ $7+7=$ ⑫ $8+6=$

⑬ $8+8=$ ⑭ $9+2=$ ⑮ $2+8=$

⑯ $8+5=$ ⑰ $6+4=$ ⑱ $8+4=$

⑲ $7+4=$ ⑳ $6+7=$ ㉑ $4+9=$

㉒ $9+6=$ ㉓ $6+6=$ ㉔ $5+7=$

받아올림이 있는 한 자리 덧셈

공부한 날	월 일
점수	/ 24

계산해 보세요.

① $5+9=$ ② $5+7=$ ③ $7+7=$

④ $4+9=$ ⑤ $4+8=$ ⑥ $9+4=$

⑦ $9+9=$ ⑧ $8+7=$ ⑨ $8+6=$

⑩ $8+9=$ ⑪ $7+5=$ ⑫ $4+7=$

⑬ $6+8=$ ⑭ $9+2=$ ⑮ $7+9=$

⑯ $8+4=$ ⑰ $6+5=$ ⑱ $8+5=$

⑲ $8+8=$ ⑳ $6+9=$ ㉑ $9+8=$

㉒ $6+7=$ ㉓ $3+9=$ ㉔ $8+3=$

받아올림이 있는 한 자리 덧셈

공부한 날	월 일
점 수	/ 24

계산해 보세요.

① $5+8=$ ② $8+6=$ ③ $7+5=$

④ $9+5=$ ⑤ $7+7=$ ⑥ $5+7=$

⑦ $6+5=$ ⑧ $8+8=$ ⑨ $6+7=$

⑩ $5+9=$ ⑪ $7+4=$ ⑫ $8+7=$

⑬ $8+9=$ ⑭ $7+9=$ ⑮ $9+3=$

⑯ $4+7=$ ⑰ $9+9=$ ⑱ $8+5=$

⑲ $2+9=$ ⑳ $9+7=$ ㉑ $9+4=$

㉒ $7+8=$ ㉓ $5+6=$ ㉔ $4+9=$

받아올림이 있는 한 자리 덧셈

공부한 날	월 일
점수	/ 24

계산해 보세요.

① $9+7=$　② $6+5=$　③ $2+9=$

④ $8+6=$　⑤ $8+3=$　⑥ $6+8=$

⑦ $6+9=$　⑧ $8+4=$　⑨ $5+9=$

⑩ $9+3=$　⑪ $8+7=$　⑫ $4+7=$

⑬ $9+8=$　⑭ $9+2=$　⑮ $7+8=$

⑯ $9+6=$　⑰ $9+4=$　⑱ $5+6=$

⑲ $4+9=$　⑳ $8+8=$　㉑ $9+5=$

㉒ $5+8=$　㉓ $4+8=$　㉔ $7+7=$

받아올림이 있는 한 자리 덧셈

공부한 날	월 일
점수	/ 24

계산해 보세요.

① $9+1=$　② $7+8=$　③ $9+6=$

④ $8+7=$　⑤ $3+8=$　⑥ $5+7=$

⑦ $5+8=$　⑧ $9+3=$　⑨ $6+4=$

⑩ $6+6=$　⑪ $6+9=$　⑫ $8+8=$

⑬ $6+5=$　⑭ $6+7=$　⑮ $7+6=$

⑯ $9+7=$　⑰ $7+7=$　⑱ $8+6=$

⑲ $7+4=$　⑳ $9+5=$　㉑ $8+3=$

㉒ $6+8=$　㉓ $9+8=$　㉔ $9+2=$

MEMO

우리 아이 첫 수학은

유자수 가 답이다

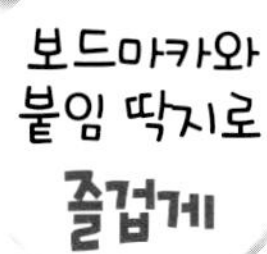

보드마카와
붙임 딱지로
즐겁게

내 아이에게
딱 맞는
엄마표 문제

재미있게
스스로
반복학습

방송에서 화제가 된 바로 그 교재!

생각과 자신감이 커지는 유아 자신감 수학!

방송 영상

유자수 소개 영상

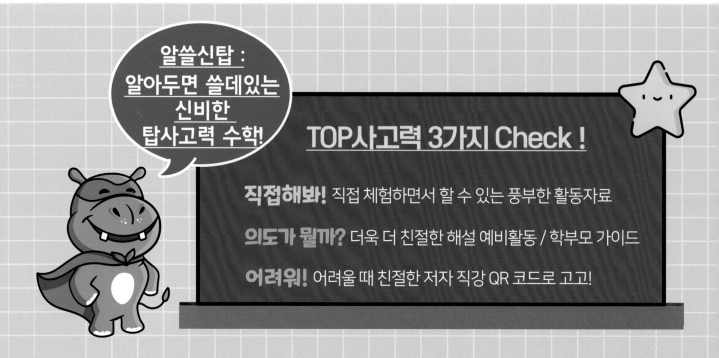

교과 과정
완벽 대비
★★★★★

초등 | 수학 **전문가**가
만든 **연산 교재**

원리셈

천종현 지음

1학년 2

덧셈구구

천종현수학연구소

10쪽

① 1, 2
1, 11

② 3, 1
3, 13

③ 1, 3
1, 11

④ 2, 1
2, 12

⑤ 2, 2
2, 12

11쪽

① 4, 10

② 3, 10 ③ 2, 12

④ 1, 11 ⑤ 1, 12

⑥ 3, 11 ⑦ 2, 10

⑧ 2, 11 ⑨ 1, 13

12쪽

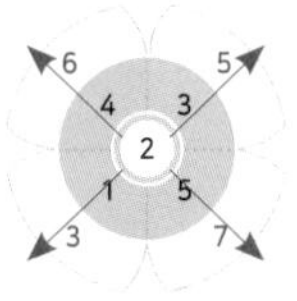

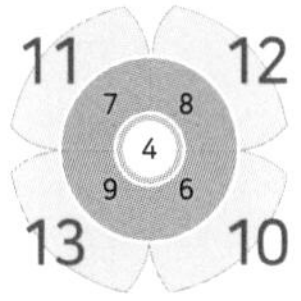

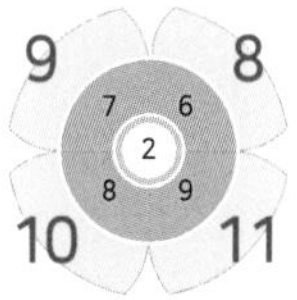

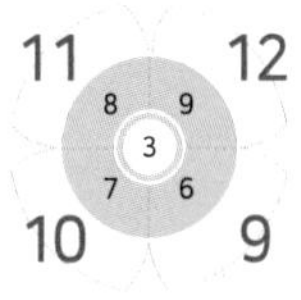

13쪽

① 2

② 3

③ 4

④ 5

⑤ 6

⑥ 7

⑦ 8

⑧ 9

⑨ 10

⑩ 11

14쪽

① 3

② 4

③ 5

④ 6

⑤ 7

⑥ 8

⑦ 9

⑧ 10

⑨ 11

⑩ 12

15쪽

① 4

② 5

③ 6

④ 7

⑤ 8

⑥ 9

⑦ 10

⑧ 11

⑨ 12

⑩ 13

16쪽

① 7 ② 11

③ 9 ④ 9

⑤ 11 ⑥ 12

⑦ 10 ⑧ 10

⑨ 13 ⑩ 12

⑪ 8 ⑫ 10

⑬ 11 ⑭ 9

⑮ 8 ⑯ 7

17쪽

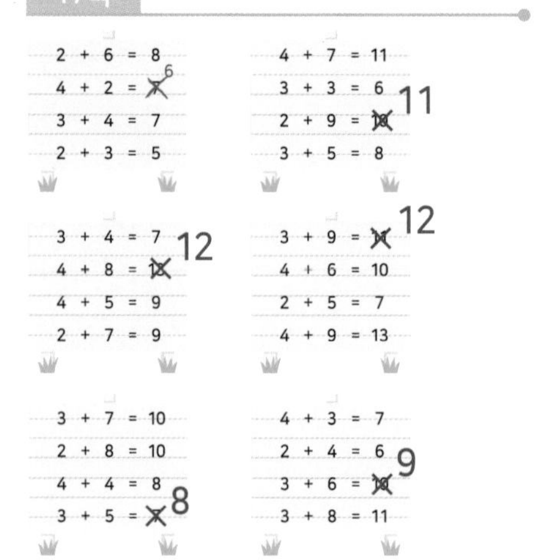

2 + 6 = 8
4 + 2 = 6
3 + 4 = 7
2 + 3 = 5
4 + 7 = 11
3 + 3 = 6
2 + 9 = 11
3 + 5 = 8
3 + 4 = 7
4 + 8 = 12
4 + 5 = 9
2 + 7 = 9
3 + 9 = 12
4 + 6 = 10
2 + 5 = 7
4 + 9 = 13
3 + 7 = 10
2 + 8 = 10
4 + 4 = 8
3 + 5 = 8
4 + 3 = 7
2 + 4 = 6
3 + 6 = 9
3 + 8 = 11

18쪽

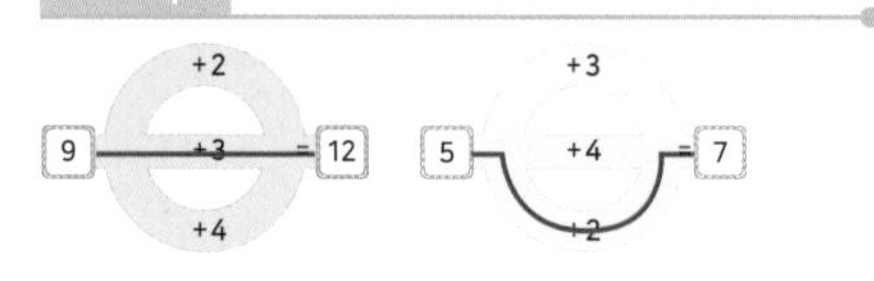
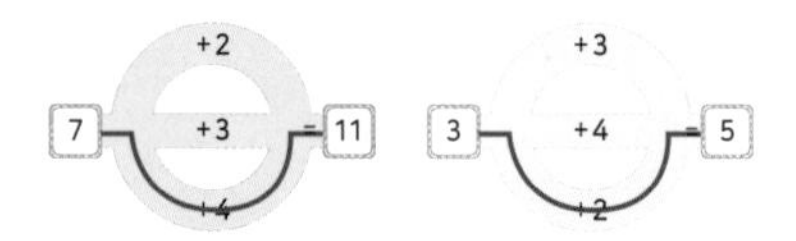
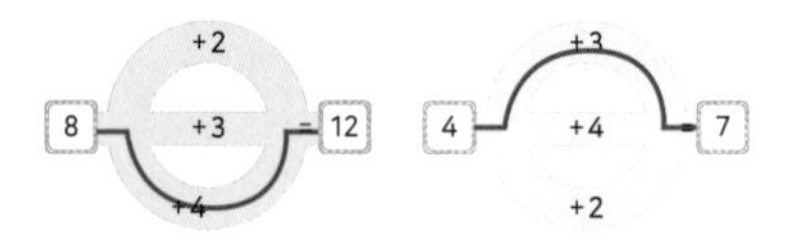

19쪽

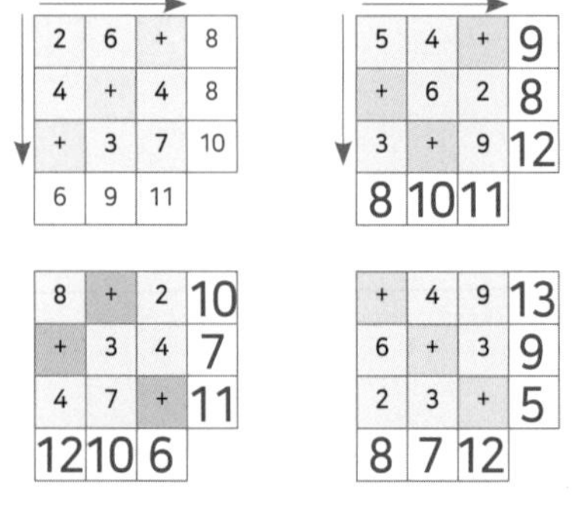

2	6	+	8
4	+	4	8
+	3	7	10
6	9	11	

5	4	+	9
+	6	2	8
3	+	9	12
8	10	11	

8	+	2	10
+	3	4	7
4	7	+	11
12	10	6	

+	4	9	13
6	+	3	9
2	3	+	5
8	7	12	

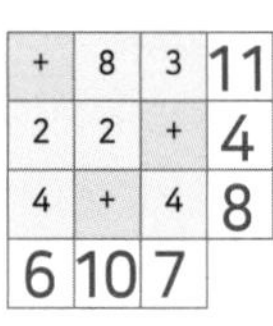

7	+	4	11
2	9	+	11
+	3	2	5
9	12	6	

+	8	3	11
2	2	+	4
4	+	4	8
6	10	7	

20쪽

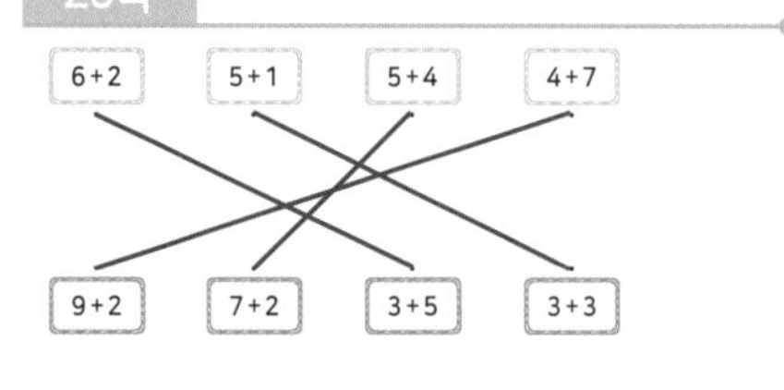

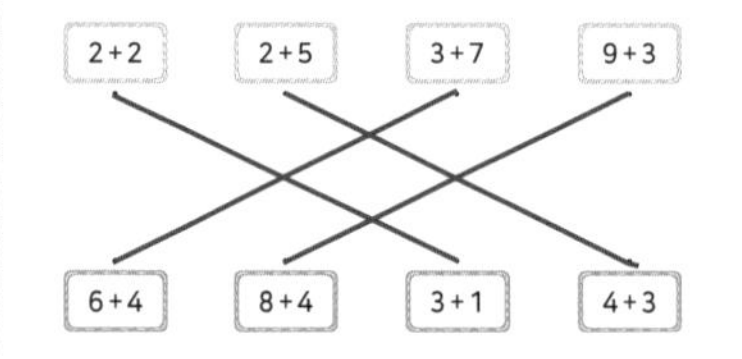

21쪽

① 4+5=9, 9

22쪽

① 9+2=11, 11

② 8+4=12, 12

③ 3+7=10, 10

23쪽

① 3+8=11, 11

② 7+4=11, 11

③ 4+9=13, 13

24쪽

① 9+3=12, 12

② 2+8=10, 10

③ 4+6=10, 10

2주차 - 더하기 9, 8

26쪽

① 2, 3 / 3, 13

② 7, 1 / 7, 17 ③ 2, 5 / 5, 15

④ 1, 4 / 4, 14 ⑤ 2, 4 / 4, 14

27쪽

① 2, 14

② 1, 14 ③ 2, 12

④ 2, 15 ⑤ 1, 16

⑥ 2, 16 ⑦ 1, 17

⑧ 1, 18 ⑨ 2, 13

28쪽

① 15 ② 16

③ 12 ④ 18 ⑤ 17

⑥ 11 ⑦ 15 ⑧ 16

⑨ 14 ⑩ 12 ⑪ 14

⑫ 17 ⑬ 13 ⑭ 11

29쪽

① 9
② 10
③ 11
④ 12
⑤ 13
⑥ 14
⑦ 15
⑧ 16
⑨ 17
⑩ 18

30쪽

① 8
② 9
③ 10
④ 11
⑤ 12
⑥ 13
⑦ 14
⑧ 15
⑨ 16
⑩ 17

31쪽

① 13 ② 17
③ 15 ④ 14
⑤ 18 ⑥ 11
⑦ 15 ⑧ 16
⑨ 10 ⑩ 12
⑪ 13 ⑫ 14
⑬ 16 ⑭ 12
⑮ 17 ⑯ 11

32쪽

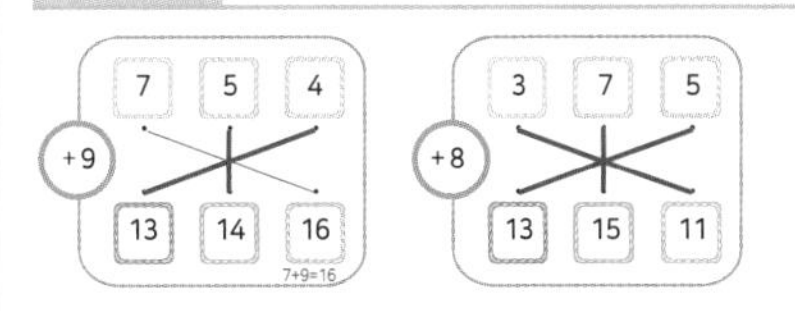

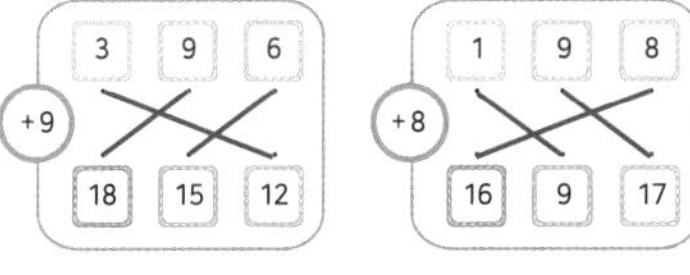

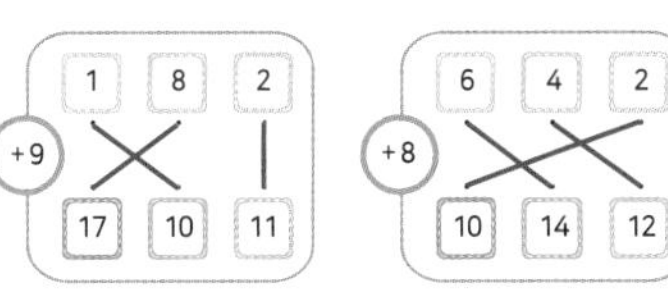

33쪽

① 15 ② 15
③ 14 ④ 12
⑤ 14 ⑥ 10
⑦ 10 ⑧ 12
⑨ 13 ⑩ 18
⑪ 13 ⑫ 16
⑬ 17 ⑭ 16
⑮ 11 ⑯ 11

34쪽

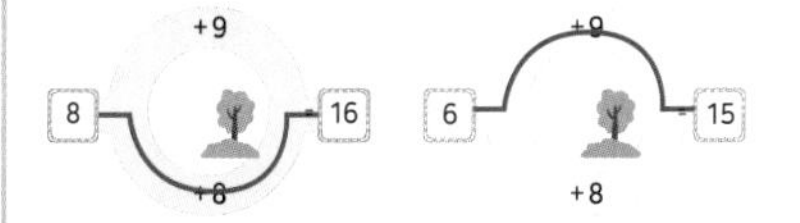

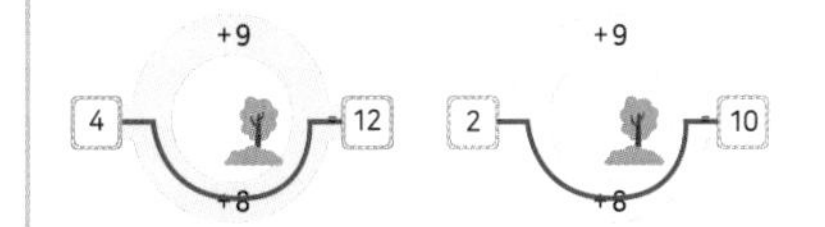

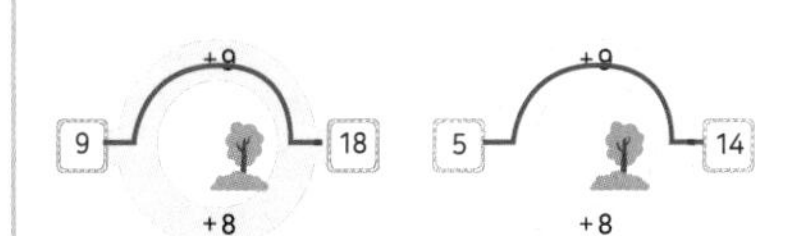

35쪽

① 12, 12
15, 10, 16
14, 17, 15

② 13, 14, 13
9, 17, 11
14, 16, 11

36쪽

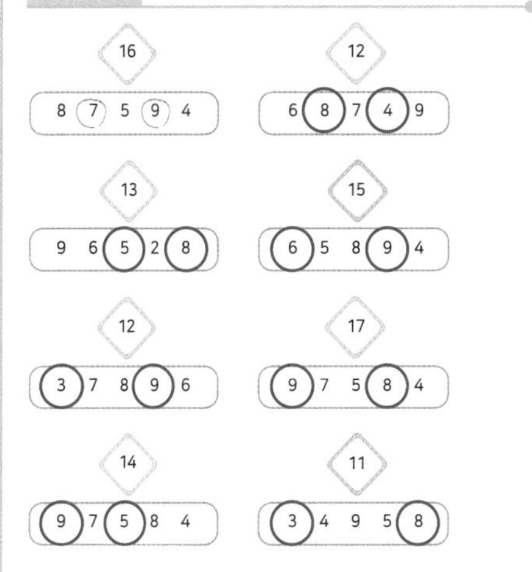

37쪽

① 9+6=15, 15

38쪽

① 7+8=15, 15
② 3+8=11, 11

39쪽

① 4+9=13, 13

② 8+5=13, 13

③ 9+6=15, 15

40쪽

① 2+8=10, 10

② 5+9=14, 14

③ 4+8=12, 12

3주차 - 더하기 7, 6

42쪽

① 4, 1
1, 11

② 5, 1
5, 15

③ 3, 1
1, 11

④ 4, 2
4, 14

⑤ 6, 1
6, 16

43쪽

① 3, 13

② 4, 11 ③ 3, 12

④ 3, 14 ⑤ 4, 12

⑥ 2, 14 ⑦ 1, 15

⑧ 1, 16 ⑨ 2, 15

44쪽

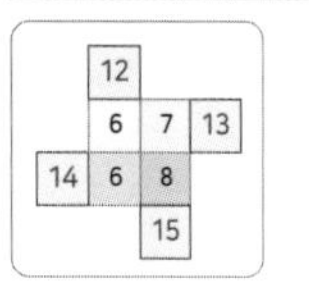

15
6 3 9
16 9 7
10

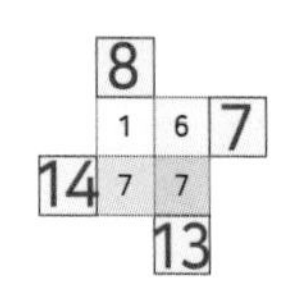

15
7 4 11
14 8 6
10

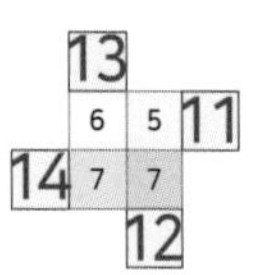

8
2 7 9
12 6 6
13

45쪽

① 7

② 8

③ 9

④ 10

⑤ 11

⑥ 12

⑦ 13

⑧ 14

⑨ 15

⑩ 16

46쪽

① 6

② 7

③ 8

④ 9

⑤ 10

⑥ 11

⑦ 12

⑧ 13

⑨ 14

⑩ 15

47쪽

① 11 ② 15

③ 13 ④ 10

⑤ 15 ⑥ 9

⑦ 14 ⑧ 14

⑨ 16 ⑩ 9

⑪ 11 ⑫ 12

⑬ 13 ⑭ 10

⑮ 12 ⑯ 8

48쪽

① 7, 8, 9

② 14, 15, 16 ③ 13, 14, 15

④ 10, 11, 12 ⑤ 10, 11, 12

⑥ 9, 11, 13 ⑦ 8, 10, 12

⑧ 12, 14, 16 ⑨ 11, 13, 15

49쪽

① 12 ② 16

③ 13 ④ 10

⑤ 11 ⑥ 8

⑦ 8 ⑧ 10

⑨ 12 ⑩ 15

⑪ 13 ⑫ 15

⑬ 14 ⑭ 14

⑮ 9 ⑯ 11

50쪽

	4 + 5 = 8	
	2 + 4 = 5	
3 + 9 = 13	1 + 8 = 10	
5 + 8 = 12	4 + 4 = 7	

2 + 7 = 8	6 + 5 = 10	
6 + 8 = 13	5 + 9 = 16	

51쪽

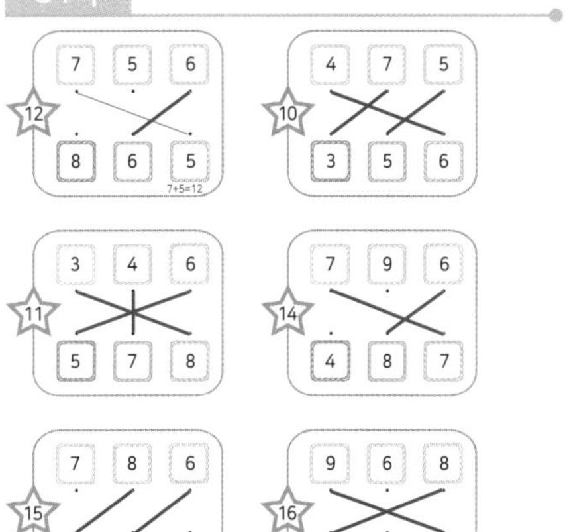

52쪽

① 14, 11 ② 14, 16 ③ 15, 12
④ 10, 13 ⑤ 12, 15 ⑥ 10, 8
⑦ 9, 11 ⑧ 13, 9 ⑨ 7, 14

53쪽

① 7+3=10, 10

54쪽

① 6+9=15, 15
② 6+6=12, 12

55쪽

① 7+7=14, 14
② 7+1=8, 8
③ 7+8=15, 15

56쪽

① 2+6=8, 8
② 6+5=11, 11
③ 7+5=12, 12

4주차 - 도전! 계산왕

58쪽

① 3, 12 ② 4, 10
③ 2, 11 ④ 1, 12
⑤ 1, 14 ⑥ 3, 13
⑦ 1, 13 ⑧ 2, 14
⑨ 4, 11 ⑩ 1, 17
⑪ 1, 16 ⑫ 2, 12
⑬ 2, 15 ⑭ 1, 15
⑮ 1, 11 ⑯ 3, 11

59쪽

① 14 ② 11 ③ 13
④ 11 ⑤ 12 ⑥ 13
⑦ 15 ⑧ 11 ⑨ 13
⑩ 13 ⑪ 16 ⑫ 12
⑬ 12 ⑭ 13 ⑮ 15
⑯ 12 ⑰ 14 ⑱ 17
⑲ 14 ⑳ 11 ㉑ 13
㉒ 11 ㉓ 14 ㉔ 16

60쪽

① 3, 13 ② 1, 13
③ 1, 16 ④ 2, 15
⑤ 1, 11 ⑥ 3, 11
⑦ 1, 15 ⑧ 2, 14
⑨ 1, 17 ⑩ 1, 14
⑪ 3, 12 ⑫ 1, 12
⑬ 2, 11 ⑭ 3, 10
⑮ 2, 13 ⑯ 4, 11

61쪽

① 15 ② 16 ③ 11
④ 14 ⑤ 18 ⑥ 12
⑦ 15 ⑧ 14 ⑨ 16
⑩ 12 ⑪ 15 ⑫ 14
⑬ 13 ⑭ 13 ⑮ 12
⑯ 11 ⑰ 15 ⑱ 11
⑲ 14 ⑳ 13 ㉑ 12
㉒ 12 ㉓ 12 ㉔ 14

62쪽

① 3, 11 ② 4, 11
③ 2, 15 ④ 2, 14
⑤ 1, 13 ⑥ 3, 10
⑦ 1, 16 ⑧ 1, 15
⑨ 2, 13 ⑩ 2, 10
⑪ 1, 14 ⑫ 1, 12
⑬ 3, 13 ⑭ 2, 11
⑮ 1, 11 ⑯ 2, 12

63쪽

① 11 ② 11 ③ 14
④ 12 ⑤ 16 ⑥ 14
⑦ 12 ⑧ 12 ⑨ 17
⑩ 11 ⑪ 14 ⑫ 12
⑬ 16 ⑭ 13 ⑮ 13
⑯ 13 ⑰ 14 ⑱ 12
⑲ 16 ⑳ 13 ㉑ 12
㉒ 15 ㉓ 11 ㉔ 15

64쪽

① 1, 12 ② 2, 13
③ 1, 11 ④ 2, 10
⑤ 2, 14 ⑥ 1, 16
⑦ 2, 11 ⑧ 2, 15
⑨ 4, 11 ⑩ 3, 12
⑪ 3, 11 ⑫ 1, 15
⑬ 1, 17 ⑭ 2, 12
⑮ 3, 13 ⑯ 1, 14

65쪽

① 13 ② 14 ③ 12
④ 14 ⑤ 14 ⑥ 12
⑦ 15 ⑧ 16 ⑨ 11
⑩ 14 ⑪ 12 ⑫ 15
⑬ 17 ⑭ 16 ⑮ 12
⑯ 11 ⑰ 18 ⑱ 13
⑲ 11 ⑳ 16 ㉑ 13
㉒ 11 ㉓ 11 ㉔ 13

66쪽

① 2, 10 ② 3, 13
③ 4, 11 ④ 1, 13
⑤ 1, 16 ⑥ 1, 15
⑦ 2, 11 ⑧ 2, 13
⑨ 1, 17 ⑩ 2, 12
⑪ 3, 11 ⑫ 1, 12
⑬ 1, 14 ⑭ 4, 10
⑮ 3, 12 ⑯ 1, 11

67쪽

① 14 ② 15 ③ 15
④ 15 ⑤ 11 ⑥ 12
⑦ 13 ⑧ 12 ⑨ 15
⑩ 12 ⑪ 17 ⑫ 16
⑬ 11 ⑭ 13 ⑮ 13
⑯ 16 ⑰ 12 ⑱ 14
⑲ 11 ⑳ 13 ㉑ 11
㉒ 14 ㉓ 17 ㉔ 18

5주차 - 더하기 5

70쪽

① 2, 3
2, 12

② 3, 2
3, 13

③ 4, 1
4, 14

① 4, 11 ② 2, 13
③ 3, 12 ④ 1, 14

71쪽

① 5
② 6
③ 7
④ 8
⑤ 9
⑥ 10
⑦ 11
⑧ 12
⑨ 13
⑩ 14

72쪽

① 12 ② 10
③ 5 ④ 6
⑤ 9 ⑥ 11
⑦ 8 ⑧ 13
⑨ 14 ⑩ 7
⑪ 12 ⑫ 11
⑬ 13 ⑭ 9
⑮ 10 ⑯ 14

73쪽

① 12
5, 2

② 12
5, 1, 5, 1

③ 14
5, 4

74쪽

① 14
5, 2, 5, 2

② 12
5, 1, 5, 1

③ 13
5, 2, 5, 1

④ 12
5, 2

⑤ 11
5, 1

⑥ 14
5, 4

⑦ 13
5, 3

75쪽

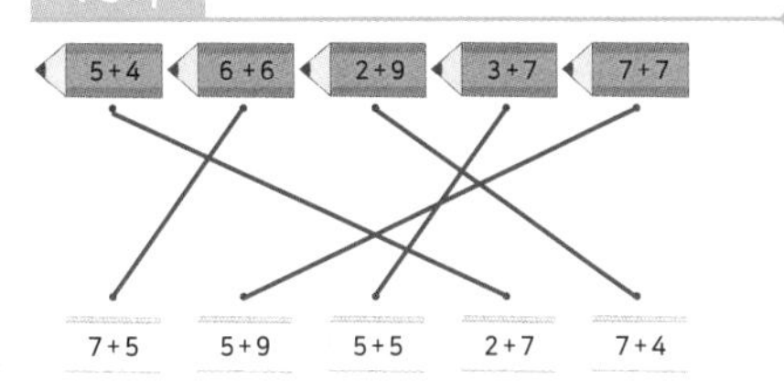

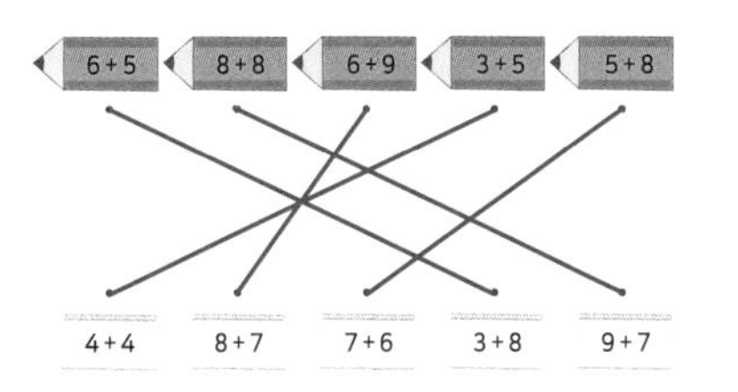

76쪽

① 10 ② 17

③ 16 ④ 11

⑤ 10 ⑥ 12

⑦ 14 ⑧ 12

⑨ 14 ⑩ 13

77쪽

① 6+6=12

② 3+6=9 ③ 6+5=11

④ 5+2=7 ⑤ 7+4=11

⑥ 4+9=13 ⑦ 5+8=13

78쪽

① 9

② 11 ③ 12

④ 12 ⑤ 14

⑥ 11 ⑦ 12

79쪽

① 14 ② 16

③ 11 ④ 13 ⑤ 15

⑥ 11 ⑦ 12 ⑧ 12

⑨ 10 ⑩ 18 ⑪ 13

80쪽

① 17

② 11 ③ 11

④ 12 ⑤ 15

⑥ 12 ⑦ 13

⑧ 14 ⑨ 12

81쪽

① 9+7=16, 16

82쪽

① 5+8=13, 13

② 6+5=11, 11

83쪽

① 5+9=14, 14

② 5+7=12, 12

③ 8+5=13, 13

84쪽

① 5+5=10, 10

② 5+4=9, 9

③ 5+6=11, 11

6주차 - 도전! 계산왕

86쪽

① 11 ② 12 ③ 11

④ 12 ⑤ 13 ⑥ 15

⑦ 13 ⑧ 16 ⑨ 14

⑩ 12 ⑪ 17 ⑫ 12

⑬ 11 ⑭ 11 ⑮ 13

⑯ 11 ⑰ 16 ⑱ 14

⑲ 14 ⑳ 11 ㉑ 16

㉒ 14 ㉓ 15 ㉔ 15

87쪽

① 16 ② 12 ③ 15
④ 13 ⑤ 12 ⑥ 11
⑦ 17 ⑧ 11 ⑨ 12
⑩ 15 ⑪ 15 ⑫ 11
⑬ 12 ⑭ 14 ⑮ 14
⑯ 12 ⑰ 14 ⑱ 11
⑲ 12 ⑳ 13 ㉑ 13
㉒ 10 ㉓ 14 ㉔ 18

88쪽

① 11 ② 14 ③ 14
④ 11 ⑤ 13 ⑥ 11
⑦ 12 ⑧ 11 ⑨ 14
⑩ 16 ⑪ 11 ⑫ 18
⑬ 12 ⑭ 11 ⑮ 15
⑯ 13 ⑰ 13 ⑱ 16
⑲ 13 ⑳ 13 ㉑ 12
㉒ 17 ㉓ 14 ㉔ 12

89쪽

① 16 ② 17 ③ 13
④ 12 ⑤ 12 ⑥ 12
⑦ 15 ⑧ 12 ⑨ 15
⑩ 11 ⑪ 15 ⑫ 11
⑬ 14 ⑭ 10 ⑮ 11
⑯ 12 ⑰ 13 ⑱ 17
⑲ 13 ⑳ 14 ㉑ 13
㉒ 10 ㉓ 13 ㉔ 14

90쪽

① 13 ② 15 ③ 17
④ 15 ⑤ 16 ⑥ 12
⑦ 11 ⑧ 11 ⑨ 14
⑩ 12 ⑪ 12 ⑫ 11
⑬ 13 ⑭ 12 ⑮ 16
⑯ 11 ⑰ 12 ⑱ 14
⑲ 17 ⑳ 13 ㉑ 14
㉒ 11 ㉓ 13 ㉔ 11

91쪽

① 18 ② 13 ③ 14
④ 12 ⑤ 16 ⑥ 11
⑦ 11 ⑧ 12 ⑨ 17
⑩ 16 ⑪ 14 ⑫ 14
⑬ 16 ⑭ 11 ⑮ 10
⑯ 13 ⑰ 10 ⑱ 12
⑲ 11 ⑳ 13 ㉑ 13
㉒ 15 ㉓ 12 ㉔ 12

92쪽

① 14 ② 12 ③ 14
④ 13 ⑤ 12 ⑥ 13
⑦ 18 ⑧ 15 ⑨ 14
⑩ 17 ⑪ 12 ⑫ 11
⑬ 14 ⑭ 11 ⑮ 16
⑯ 12 ⑰ 11 ⑱ 13
⑲ 16 ⑳ 15 ㉑ 17
㉒ 13 ㉓ 12 ㉔ 11

93쪽

① 13 ② 14 ③ 12
④ 14 ⑤ 14 ⑥ 12
⑦ 11 ⑧ 16 ⑨ 13
⑩ 14 ⑪ 11 ⑫ 15
⑬ 17 ⑭ 16 ⑮ 12
⑯ 11 ⑰ 18 ⑱ 13
⑲ 11 ⑳ 16 ㉑ 13
㉒ 15 ㉓ 11 ㉔ 13

94쪽

① 16 ② 11 ③ 11
④ 14 ⑤ 11 ⑥ 14
⑦ 15 ⑧ 12 ⑨ 14
⑩ 12 ⑪ 15 ⑫ 11
⑬ 17 ⑭ 11 ⑮ 15
⑯ 15 ⑰ 13 ⑱ 11
⑲ 13 ⑳ 16 ㉑ 14
㉒ 13 ㉓ 12 ㉔ 14

95쪽

① 10 ② 15 ③ 15
④ 15 ⑤ 11 ⑥ 12
⑦ 13 ⑧ 12 ⑨ 10
⑩ 12 ⑪ 15 ⑫ 16
⑬ 11 ⑭ 13 ⑮ 13
⑯ 16 ⑰ 14 ⑱ 14
⑲ 11 ⑳ 14 ㉑ 11
㉒ 14 ㉓ 17 ㉔ 11

총괄 테스트 정답

초등 원리셈 1학년
2권 덧셈구구

총괄 테스트

이름 점수

01 작은 수를 갈라서 큰 수에 주어 10을 만들어 계산합니다. 빈칸에 알맞은 수를 써넣으세요.

4 + 7 → 1 + 3 + 7 → 1 + 10 = 11

02 작은 수에서 큰 수로 수를 주어 10을 만들어 계산하세요.

4 + 9 = 13 (1)

① 3 + 8 = 11 (2)

② 2 + 9 = 11 (1)

03 계산해 보세요.

① 2 + 7 = 9　② 3 + 5 = 8

③ 3 + 9 = 12　④ 4 + 7 = 11

04 계산 결과에 알맞게 길을 그려 보세요.

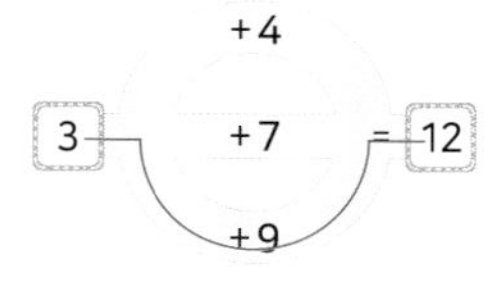

05 답이 틀린 것을 찾아 바르게 고쳐 보세요.

3 + 7 = 10
4 + 3 = 7
2 + 9 = ~~12~~ 11
4 + 5 = 9

06 빈칸에 알맞은 수를 써넣으세요.

8 + 4 → 8 + 2 + 2 → 10 + 2 = 12

07 작은 수에서 큰 수로 수를 주어 10을 만들어 계산하세요.

9 + 3 = 12 (1)

① 8 + 5 = 13 (2)

② 9 + 6 = 15 (1)

08 계산해 보세요.

① 9 + 5 = 14　② 8 + 4 = 12

③ 8 + 7 = 15　④ 9 + 8 = 17

09 같은 위치의 수를 더해서 아래의 표를 완성하세요.

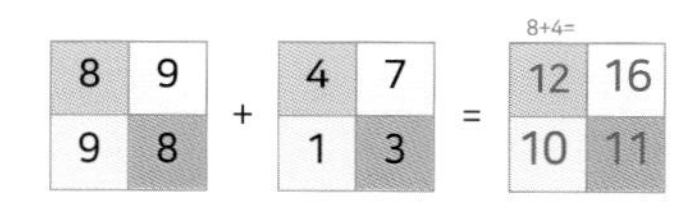

8	9
9	8

\+

4	7
1	3

= (8+4=)

12	16
10	11

10 누나와 동생이 만두를 8개씩 먹었습니다. 누나와 동생이 먹은 만두는 모두 몇 개일까요?

식: 8 + 8 = 16

답: 16 개

11 빈칸에 알맞은 수를 써넣으세요.

6 + 5 → 6 + 4 + 1 → 10 + 1 = 11

12 작은 수에서 큰 수로 수를 주어 10을 만들어 계산하세요.

7 + 4 = 11 (3)

① 6 + 4 = 10 (4)

② 7 + 6 = 13 (3)

13 계산해 보세요.

① 7 + 2 = 9　② 6 + 8 = 14

③ 7 + 6 = 13　④ 6 + 4 = 10

14 규칙을 보고 빈칸에 알맞은 수를 써넣으세요.

+	3	5	7
7	10	12	14

7+3=　7+5=　7+7=

+	2	6	8
6	8	12	14

15 사다리를 따라 계산하여 빈칸에 알맞은 수를 써넣으세요.

6　7　+9　→ 16　15

16 빈칸에 알맞은 수를 써넣으세요.

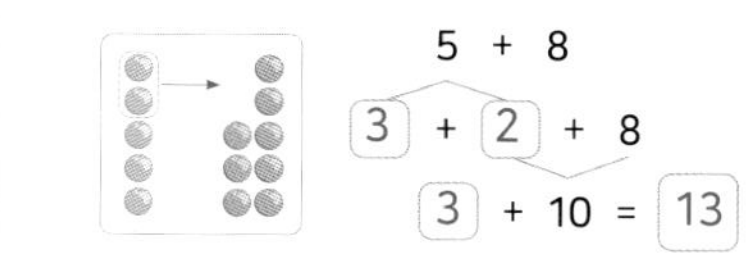

5 + 8 → 3 + 2 + 8 → 3 + 10 = 13

17 작은 수에서 큰 수로 수를 주어 10을 만들어 계산하세요.

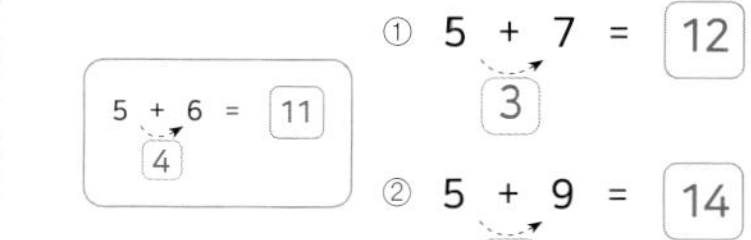

5 + 6 = 11 (4)

① 5 + 7 = 12 (3)

② 5 + 9 = 14 (1)

18 5 + 5 = 10이라는 것을 이용하여 두 수를 5와 어떤 수로 갈라서 더할 수도 있습니다. 빈칸에 알맞은 수를 써넣으세요.

8 + 7 = 15
5 3 5 2 (10)

19 덧셈을 수직선으로 나타내었습니다. 빈칸에 알맞은 수를 써넣으세요.

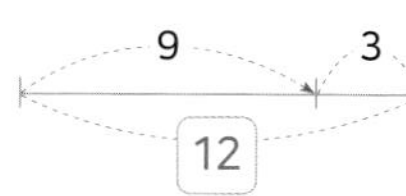

20 문수는 지금 5살입니다. 5년 후에 문수는 몇 살이 될까요?

식: 5 + 5 = 10

답: 10 살

원리 이해

다양한 계산 방법

충분한 연습

성취도 확인

천종현수학연구소의 교재 흐름도

4세
5세
6세
7세
초1
유아 자신감 수학 만 3세
유아 자신감 수학 만 4세
유아 자신감 수학 만 5세
유아 자신감 수학 : 유아 수학 입문서
• 처음에는 엄마, 아빠와 함께, 나중에는 아이 스스로
• 개념의 이해부터 적용까지
원리셈 : 기본 연산 학습서
• 매일 10분씩 원리로부터 실력까지 연산의 완성!!
• 다양한 형태의 문제와 충분한 연습으로 쉽고 재미있게
키즈 원리셈 5, 6세
키즈 원리셈 6, 7세
키즈 원리셈 예비 초등 7, 8세
초등 원리셈 초등1
TOP사고력 : 사고력 수학의 으뜸
• 수학적 직관력 / 문제 이해력 기르기
• 영역별 나선형식 반복 학습 구조
탑사고력 K 단계
탑사고력 P 단계
탑사고력 A 단계

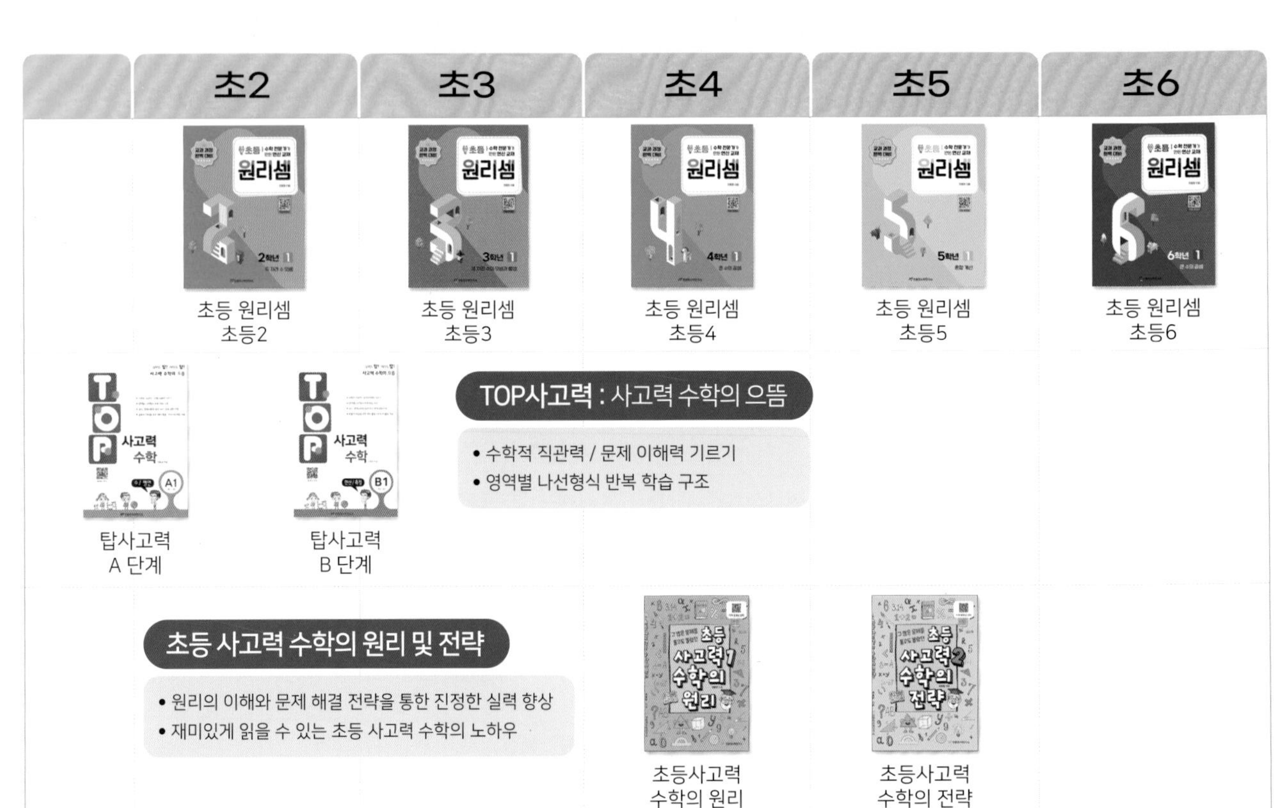

초2
초3
초4
초5
초6
초등 원리셈 초등2
초등 원리셈 초등3
초등 원리셈 초등4
초등 원리셈 초등5
초등 원리셈 초등6
탑사고력 A 단계
탑사고력 B 단계
TOP사고력 : 사고력 수학의 으뜸
• 수학적 직관력 / 문제 이해력 기르기
• 영역별 나선형식 반복 학습 구조
초등 사고력 수학의 원리 및 전략
• 원리의 이해와 문제 해결 전략을 통한 진정한 실력 향상
• 재미있게 읽을 수 있는 초등 사고력 수학의 노하우
초등사고력 수학의 원리
초등사고력 수학의 전략